世界人類を支配する

悪魔の正体

Soejima Takahiko / Benjamin Fulford

副島隆彦

ベンジャミン・フルフォード

私もフルフォード氏も日本という持ち場（根拠地、出撃拠点）から世界に向けて、共に真実言論派（truth activist）及び、権力者共同謀議（は有る）論者（conspiracy theorist）。これを×陰謀論者と言うな）の立場から、文字どおり命懸けの情報発信を続ける。この世に実在する悪魔たちに負けてたまるか、である。

B・フルフォード氏が日本にいてくれるお陰で、私たち日本の真実言論派がどれだけ助かっていることか。

日本国内で今も勢力を維持している自民党内の反共右翼＝統一教会（これの英語Mooniesは、教祖文鮮明の頭文字のMoonから作られた言葉。欧米白人諸国にも居て世界中で通用する）の残党の勢力からの、隠微な攻撃が私たちに加えられる。同時に、日本の体制派メディア（テレビ、新聞、出版社、雑誌）の中に潜り込んでいる別動隊によって、私たちの言論は抑えつけられ脅迫を受ける。圧力に挫けて己れの言論を曲げたり、沈黙する者たちは多い。

フルフォード氏が日本にいてくれるからこそ、私たちはこの戦いの前衛にして驍将を見失うことなく、後続する。兵児垂れることなく、その後ろから、負けてたまるかの突撃を掛けることができる。有難いことです。

ベンジャミン・フルフォード氏は、１９６１年、カナダのオタワ生まれだ。私より8歳下である。お父様は、カナダ外務省でアルゼンチン大使などを務めた顕職（けんしょく）の人で、カナダの名門の出である。本書でも言及しているが、カナダの歴代首相の中で一番有名な、20年以上首相を務めたマッケンジー・キング（１８７４－１９５０、自由党）がお父様の名付け親（ゴッドファーザー）である。マッケンジー・キング首相は、ロックフェラー財閥の横暴に抵抗してカナダ圏の利益を守った愛国者として知られる。

フルフォード氏が、真実言論派の道に踏み込んだのは、案外、新しくて、この本でも自身が語っているとおり、２００1年「9・11」（セッテンバー・イレヴン）の米同時多発テロ事件（すべて権力者側の捏造であった）の後（あと）であるから21年しか経（た）っていない（氏が40歳のとき）。

それまでは、氏は、『フォーブス』*Forbes* 誌日本支局長という要職にあって、体制派の権力側メディアに属していた。だから世界中の一流ジャーナリストたちを知っていて、交信している。その高待遇と心地よい特権（電話一本で、日本の政治家、高位官僚、芸能人、大企業経営者に会える）を享受していた。それらを投げ捨てて、真実言論派の落魄（らくはく）（落ちぶれ）の群れに身を投じたのは、大きな真実（トルース）を人々に伝える以外の処（ところ）にジャーナリストの存在意義は無い、という深い決意である。これまでの氏の著作を読んで来た人なら、ＣＩＡその他から度々（たびたび）殺される危険を掻い潜りながら生き延びて来た氏の活動を存じていよう。
本書の中で氏が、次のように語っている。

副島　日本人は（英米に、世界から隔離洗脳されてきたので）土人でバカで、世界基準から見たら知識がない。だけれども、勘だけは鋭いんですよ。どういうわけか知らないけど。

BF　わかりますよ。

副島　勘が鋭くて。この人たちをじっと見ていると、何ですかね、どこか異様に洗練（リファインド）されたヘンな民族なんです。

BF　いやわかりますよ、それは。だから、私の今のメインの仕事は、日本人が長年欧米を外から研究して見えたその見方を、逆に欧米に紹介することによって、欧米人の間に革命を起こそうとしているんですよ。えっそうなの、そうだったのか、というショックを実際に欧米人に与えているのです。

副島　そうか。そうだったのですか。ようやく分かりました。フルフォードさんの国際ジャーナリストとしての意欲と決意が。逆に日本から世界に影響を与えようとしているのですね。日本から世界に向けての知識、情報発信というのは、本当に資源豊か（リソースフル）なんですね。

そこに私もお手伝いしたいですよ。私は英語で書けないから。フルフォードさんに書いてもらいたい。副島という男が日本にいて、こういうことを言っていると。

私は「日本はすごい」主義者じゃない。その反対です。それでもやっぱり日本のすごさというのは有る。例えば、……

（本書202-203ページ）

このようにして、私とフルフォード氏は、堅く団結している。真実の言論を行うことによって、それを公然と人々に伝えることによって、敵どもから殺されることも厭わない。一切怯むことがない。また、この年齢に達したので、敵どもの策略に嵌められたり、罠に落ちることもない。この私たち2人が元気に書き続ける限り、日本は大丈夫だ。日本から世界に向けて真実を発信し続けて、今のこの世界を頂点から支配しているディープステイト＝カバール（the Deep State , Cabal ）と戦い続ける。

フルフォードさんは独自に探究して悪魔たちの正体を、Cabal→Chabal→Khazar Mafia→Chabad と表現している。これを、いよいよ撃滅する世界民衆の大きな戦いに貢献するために、大きな情報・知識の燃料投下を行う。

今やその醜い正体を顕わにして、のた打ち回っているこの世の悪魔（Diabolo , Satan ）たちとの戦いに、皆さんもまず正しい知識、情報、思想理解を得ることから初めて、戦列に加わってください。

最後に、この先鋭(せんえい)な本を、裏方(うらかた)の寡黙(かもく)に徹して、商業出版物として世に出すことのできる有能な、秀和システム編集部の小笠原豊樹氏に2人を代表して感謝します。

2022年12月22日

副島隆彦

『世界人類を支配する悪魔の正体』

目次

目　次

目次

装丁・泉沢光雄
カバー&章扉写真・赤城耕一
本文地図・青木宣人
組版・オノ・エーワン

＊本対談は、２０２２年９月16日、10月14日、11月４日、11月18日の計４回、都内某所にて収録された対談を編集したものです。

第1章 この世界を支配している悪魔の正体

◆両極端に分断される世界

ベンジャミン・フルフォード　２０２２年は、ロシアとウクライナの間の「戦争」によって新しい世界の幕が開いたと言えます。現状を分かりやすく言うと、いま西側諸国（ザ・ウエスト）が世界から「村八分」状態です。アメリカがすることなすことがすべて、以前より明らかに悪質になっています。

今から21年前の、２００１年の9・11の「同時多発テロ」の時は、アメリカは被害者だと先進諸国の大半が信じていました。だから、アフガン戦争が始まってもそれは仕方がないという雰囲気でした。その次の２００３年のイラク戦争で、ちょっとおかしいぞとなりました。開戦の口実にしたイラクによる大量破壊兵器（ＷＭＤ（ダブリュエムディ））の保有が、証明されない。結局、まったく見つかりませんでしたからね。

それでアメリカに付き従う国が激減した。さらにその後、アラブの春だとか、リビアやシリアで、アメリカの言い訳が見苦しくなってきた。多くの国々に見抜かれてしまった。

副島　そのとおりです。

ＢＦ　ああ、本当は、アメリカという国は「民主主義」の総本山でも、ましてや「正義の味方」でも何でもない。相当悪質なテロ国家の総本山だ、という考え方が、世界で主流になっていった。

欧米諸国の中でも、政府に対する不信感が湧き起こった。いま、各国の国内政治情況は「二重人格」状態になっています。欧米社会は現在、真っ二つに分かれている。

分かりやすい例は、今回のパンデミックです。①大変な疫病が流行っている。だから、それと闘うためにワクチンを打たなければいけない。政府の言うことも何でも聞かなければいけない。という考えの人たちがたくさんいる。一方で、②このパンデミックはすべて嘘で、ワクチンを打つほうが危険だ。政府もＷＨＯも悪事を行っている。こう考える人たちがいる。

２つの真逆の世界観が共存しています。

この２つの世界観を持つ人たちの間に深い溝があって、両者は完璧に離れてしまっている。そして、②の後者の人たちの間では、政府に対する不信感が急速に増大している。

副島　そうですね。

ＢＦ　９月14日から16日にかけて、ウズベキスタンのサマルカンドで上海協力機構（ＳＣＯ）の首脳が集まって会議をした。

上海協力機構というのはもともとは中国・ロシア・カザフスタン・キルギス・タジキスタン・ウズベキスタン・インド・パキスタンの８か国の組織でした。それが今回は、昨年正式加盟したイラン。さらに、ＮＡＴＯ加盟国であるトルコ。その他の西側同盟国のインドネシアも参加しました。つまり、西側諸国はどんどん仲間を失っている。別の言い方をすると、かつて冷戦時代に共産圏だった国々と、ノン・アラインド（non-aligned）の中立同盟の国々が、１つにまとまっている。西側だけが孤立しているという状況です。

副島　うん。確かにそうだ。

ＢＦ　これまでは、特にアメリカ、イギリスが慢性的に対外赤字で、それをなんとかしてしのごうとした。自分たちが世界のお金を管理して、世界にお金を配ってあげるから、あなたたちのほうは我々に物を持って来なさい。という従来のシナリオで乗り切ろうとしていたけれども。

それがにっちもさっちも行かなくなって、いままさに崩れようとしている。実際、一番目に見えるのは、いまヨーロッパでガスが止まりかけている。大きくは、アメリカの世界一極支配が終わろうとしています。もっと長いスパンで見ると、３００年間続いた西洋による世界制覇が終わろうとしている。

副島　そのとおりですね。

ＢＦ　その中でいろいろな激しい動きがあります。アメリカ政府（米財務省）の対外支払いはいつも9月30日と1月末日です。サラリーマンが毎年毎年、借金している、支払期日の前に、あの手この手を使ってなんとかお金を作ろうとする。それとまったく同じです。アメリカ政府も毎年毎年支払い手段を強引に作り出す状況が続いていたのです。

例えば2021年の9月末には、日本の年金資金を盗んでなんとかしのいだ。

副島　やっぱりね。日本から奪い取った。日本はアメリカの貯金箱ですからね。

BF　そのために日本政府が国富（こくふ）ファンド（投資信託）としてやっているGPIF（年金積立金管理運用独立行政法人）のポートフォリオが変更された。

そこで今回は、何をやって乗り切ろうとしているのか。まだ目処はたっていない。またとんでもないことをする可能性も大いにあります。

これまで、政府の支払いができないときには、たとえば、2001年には「9・11」を起こした。2011年には東日本大震災テロを起こした。そして日本の外貨預金（外貨準備（フォーリンリザーヴ）金）を盗んだ。2020年には1回不渡り（デフォールト）が発生した。この時に、計画的にコロナパンデミックを起こした。それからどんどんアメリカ人の生活水準が下がった。このとき無から1兆ドルを刷り散らかしたからです。この1兆ドル（120兆円）は、基本的にアメリカ国民から盗んでいるわけです。アメリカという国は、株式会社アメリカです。お札を刷れば刷るほど、国民にはその分の利子が税金として押しつけられるようになっている。今回のパンデミックで、アメリカ政府は1兆ドル以上をマネーロンダリングしたと、私は見ています。

副島　アメリカは合計で7兆ドル（１０００兆円）をコロナ対策費で出したようですね。日本政府は３０７兆円（２・８兆ドル）を出しました。

BF　ベラルーシの大統領ルカシェンコ（プーチンのお友達）が、国営通信で語っていたのですが、彼は、世界銀行（ワールド・バンク）からパンデミックで戒厳令的な状況を作ることを条件に、９億７０００万ドル（１２００億円）をオファーされたそうです。ルカシェンコはその申し出を蹴りました。すると、西側のニューズで急に、「ベラルーシの独裁者を倒すべし」というプロパガンダが西側（ザ・ウエスト）に急速に広がりました。本当は、２０２０年1月の不渡りの際に、パンデミックを利用して自分たちが無から作ったお金でマネーロンダリングをしていたわけです。それが今、再び底をついて、それで、２０２２年の2月以降のウクライナ戦争で、また同じことをやった。これが真相です。

副島　アメリカがですか。

BF　そう、アメリカという国は、借金返済のために、家にある家電とかを質屋に持って行っている、みたいなものです。これまで蓄えた武器を、いま売りさばいていますよね。信頼できる情報筋によると、アメリカがウクライナ支援のためと言って供与している武器の大部分は、じつはウクライナに行っていないそうです。ウクライナのためだと言いつつ、中近東などのさまざまなところに売りさばいているらしい。ジャベリンという携行式対戦車ミサイルは、だいたい６０００万円すると思います。それを闇市場で２０００万円で売っていることが知られています。

副島　ジャベリンは、ロッキード・マーチン社が作っている。これは、５０００本ぐらいウクライナに供与されたようです。ロシア兵がさんざんやられた１５５ミリ榴弾砲と、ＨＩＭＡＲＳ（高機動多連装ロケットシステム）は、アメリカ軍に全部で１０００台あるうちの７００台ぐらいがウクライナに行った。そのうちの２００台ぐらいはロシア軍が破壊した。しかし、この最新鋭の長距離砲（アーティラリー）に、ロシアの指揮所（司令部）や弾薬庫（アーセナル）までかなり破壊されました。アメリカ軍が軍事スパイ衛星から正確にロシア軍の居場所を教えるから、ウクライナ軍が強かった。

この強力なＨＩＭＡＲＳも２００台ぐらいは中東とかアジア諸国に流れたみたいですね。武器商人たちを経由して。どこの国も、この最強力の兵器が1台でも欲しいですからね。

BF　カナダでとても有名な超凄腕のスナイパーが1人いるのです。彼がボランティア・アーミー（志願兵）でウクライナへ飛んで、さあロシア兵を撃ち殺してやる、戦場へ行くぞと意気込んだはいい。ところが、自分に必要な武器が現地でなかなか手に入らない。何かヘンだなと思って、いろいろ聞いてまわると、角の理髪店に行って聞けば、カラシニコフが手に入るかもよ、なんておかしなことを言われた。狙撃兵用の高性能の銃がない。結局、戦場へは行かずにカナダに帰ってきたなんて記事が地元のケベックの新聞に出たのです。

実際、我々がテレビで観ているウクライナ関連の映像の多くはCG、もしくは戦場とは全然関係ない映像の加工です。例えば一番笑ったのが、イスラエルのテレビ（チャンネル13）が流した映像で、映画『スターウォーズ』の映像を使っていました。『スターウォーズ』に出てくる白い服を着た兵士が映っていて、誰が見ても『スターウォーズ』だと分かります。

その他では、『ディープ・インパクト』の中の、隕石が落ちて来て、人々が逃げまどう映像が、今回キエフ（キーウ）から逃げている群衆の映像として、そっくりそのままテレビで使われていました。ついでに言うと、最近、急にウェッブ望遠鏡で、美しい宇宙の画像を捉えたとかやっていますが、あんなのも嘘八百だとバレています。

副島　人類は無人の探査用月ロケットが月を周回して地球に戻って来るだけのことも、じつはできない。巨大な宇宙のキレイな映像というのはほとんどインチキでしょう。ウクライナ戦争ではマクサーテクノロジーという胡散臭い会社がやっていますね。それとベリングキャットという情報捏造専門会社だ。

BF　そうです。すべてCGやインチキ映像で人々をダマして、お金をむしり取る。NASAが月ロケットの「アルテミス計画」をぶち上げて、有人で月に行くと言っています。

キエフから避難する群衆の映像に
映画『ディープ・インパクト』の映像を流用

下はイスラエルのテレビ（チャンネル13）がウクライナのものとして流した映像で実際は『スターウォーズ』の１シーン

そのための資金援助が必要だといって、インチキ映像を最近よく流しています。これもCG、インチキだと、かなりボロが出ています。

副島　日本もそのアルテミス計画の片棒を担(かつ)がされています。ところが、日本からのロケットはすぐに不思議に故障して発射さえできない（笑）。

◆明らかに西側（G7）が追い詰められている

BF　私から見ると、いまはソ連崩壊（1991年12月）前夜とよく似た、そのアメリカ版が進行している。もっと大きく言うと、これはソ連崩壊を超える。もしかすると2000年以上前から世界帝国になることを狙っていたローマ帝国（帝政以前の共和政ローマまで入れると紀元前500年頃からある）以来の、西側の司令部の崩壊という見方もできる。なぜかというと、欧米の貴族の多くは――あくまで彼らの主張ですが――もともとローマ帝国のカエサルの血を引いているからです。神聖ローマ皇帝のハプスブルクとかもです。ローマのカエサルの血統を維持している、と。これが男系の血筋です。そして女系の血筋は、古代ユダヤ王国のダヴィデ王の血を引いている、と。そう考えると、古代ローマの王族の世界制覇プロジェクトそのものが、今おかしくなっているのだとも言えます。

副島　2500年前からの西洋（ギリシャ・ローマ文明）の終わりが近づいている、と言うのですね。現在のG7先進国の世界が崩れるどころではないということですね。

フルフォードさん、ここで確認ですが、G7の対立概念は、英語では emerging G8 という言葉らしい。「新G8」とか、「新世界G8」とも日本語に訳されています。先ほどご指摘のあったウズベキスタンのサマルカンドでSCO（上海協力機構。中国とロシアが中心のユーラシア大陸の軍事同盟）での首脳会議（9月15日）に、トルコのエルドアンも突然来て、インドのモディも来ました。なんとイランの最高指導者のハメネイまで来た。みんな驚いた。サウジアラビアも入れてくれ、と。トルコは西側のNATOに入っているんですよ。それなのにSCOに入る、と公然とエルドアンが言った。ビックリ仰天です。プーチンと腕を組んで歩いていた。西側（欧米）は、この会議のことをほとんど報道しなかった。相当にイヤだったのでしょう。

新G8というのは、BRICSプラス4か国です。BRICSのブラジル、ロシア、インド、中国（5つ目の南アは経済力がない）に、インドネシア、トルコ、メキシコ、イランを加えた8か国です。

今回のウクライナ戦争で一番重要だったのが、インドのモディ首相がロシア制裁に加わらなかったことだ。その見返りで、プーチンからロシア産の石油を安く、3割引で売ってもらいました。さらに、サウジアラビアもやはりプーチンと組んでいる。アメリカのバイデンが石油の増産を、直接会って頼もうとしても、ムハンマド・ビン・サルマン王太子が電話に出るのも拒否したと言われています。UAE（アラブ首長国連邦）のムハンマド・ビン・ザイード大統領もバイデンからの電話に出なかった。現状の世界認識は、ここがまず基本骨格だろうと思います。

BF　そうですね。軍事面では、一生懸命クアッド、クアッド（Quad：Quadrilateral Security Dialogue「4か国戦略対話」）と繰り返し言ってます。インドと日本とアメリカとオーストラリアの4国で、中国を包囲していじめよう、というシナリオを描いています。しかし、実質でインドはこれに参加していない。逆に、インドは中国とロシアと軍事演習をやっています。NATO軍と戦う想定で。

副島　ホントですね。インドがまったくやる気がないので、クアッドが駄目になったアメリカは、今度は急にIPEF（Indo-Pacific Economic Framework「インド太平洋経済枠組み」）というのを作った。こんなもの恥さらしもので誰も相手にしない。さらには、オーストラリアの新政権は、労働党になった。首相のアルバニージーは、労働者階級の出で、オーストラリア労働党の中でも左派だ。だから彼は中国敵視政策は取らない。外相になった女性は中国系だ。これですからね。

ASEAN10か国は、IPEFなんかバカ扱いします。それでもアメリカは意地でもやると言っているのでしょう。

以下のことは、私よりも先に遠藤誉(ほまれ)さんという筑波大学名誉教授の女性が「Yahooニューズ」で逸早(いちはや)く書いたのですが、「現在の世界は、人口と面積の両方ともで、西側G7とそれ以外が、15：85の比率」だそうです。「15対85の戦い」ということを言い出しています。これは、「G7対(たい) その他の国全部（the rest(ザ レスト)）の闘い」とも言われる。真っ先にそれを言ったのは、ロシアの前の下院議長です。

筑波大学は統一教会大学 Moonie university です。福田信之という創立者で学長をした男が、ムーニーです。だから今の筑波大学はムーニーで有名です。いまテレビに出てきている教授たちがそうです。遠藤誉さんはその筑波大学にずっといた人なのですが、12歳まで中国にいたから、中国語が完璧にできる。この人は中国共産党の中堅幹部たちと電話で話せる。この女性学者は中国を叩くための人材として育てられた。いま81歳の女性です。名誉教授だからもう筑波にはいないで東京にいるでしょう。日本政府としては、中国情報を取るために、この遠藤誉さんを情報提供者（インフォーマント）として使ってきた。ところが、どうも彼女は二重スパイで、本心は中国が大好きなのです。そろそろ自分の正体を現そうとしている。だから中国情報に一番詳しいのは、この遠藤誉さんです。その彼女が、現在の世界は「15対

85の世界だ」と言った。彼女は英語もできるから、世界基準の理解をしている。

BF　GDPで言うと、3：7ですね。人口・面積比よりもちょっとだけ欧米諸国の割合が増えます。その中で、欧米がまだ勝っていたと思われているのが軍事力です。ところが、今これにものすごいボロが出てきている。例えば、副島さんがさっき言ったハイマースというミサイルがあります。

副島　「M777（トリプルセブン）」、155ミリ榴弾砲が搭載されている。M777には「エクスカリバー」という名誉ある名がついている。ガイデッド・ミサイルで、精密な誘導装置がついている。「エクスカリバー Excalibur 」というのは、アーサー王伝説に出てくる、アーサー王が持っていた魔法の剣ですよね。普通なら英米には畏れ多くて、兵器の名になんか付けられないはずなんですけどね。この誘導ミサイルは、ロケット砲のくせに赤外線追尾型で、目標に向かって精密に命中する。恐ろしい。ハイマースはそれが1台につき6発連発できる大砲ですよね。

BF　1発撃つのに、3000万円かかると言われています。ところが、ロシアの榴弾砲だと、1発5万円程度で撃てる。だから量ではロシアに敵わない。ウクライナ軍の今の装備では、全面戦争になるとミサイルの量が圧倒的に足りない。だから、結局、軍事力の面でも欧米が負け始めています。

副島　しかし一番直近で見たら、やはりこのハイマースが、500台ぐらいウクライナ側にあって、そのうち半分ぐらいはロシア軍が破壊したと思うのですが、それでもまだ300台ぐらい残っているのではないか、と私は見ていました。誘導装置付きですから、大砲に目がついているのと同じです。

ガイデッド・ミサイルというのは、日本の三菱ゼロファイター、すなわち零戦（ゼロセン）を迎え撃った米軍の対空砲のVT（ヴィティ）信管と同じだと思います。神風特攻隊もこれが弾幕（だんまく）を張ったので大半がやられました。人間が乗って爆弾を積んだ戦闘機（ファイター）ごとアメリカ軍の空母にツッコんでいった。最初は空母ヨークタウンに当たったりして米海軍に大変な被害を出した。そのうちこのVT信管で、近くまで敵の弾が寄ると自分が発火して爆発して、カミカゼのゼロファイターはみんな撃墜された。それと同じ思想でできている。大砲に目がついているわけですから。

10月に入ってからロシア軍はイラン製のドローンを使ってウクライナの諸都市の電力設備を正確に狙って破壊しています。これが相当に効果があったようだ。今からロシア名物の〝冬将軍（ジェネラル・ウィンター）〟で、ウクライナ国民は相当に凍（こご）えるでしょう。

フルフォードさん。私はこのように、はっきりとロシアの味方で、プーチン頑張れです。日本で、言論人でこの態度をはっきりさせているのは私だけらしい。佐藤優（まさる）さんがそう言っていた。それでも冷酷に言うと、アメリカの最高兵器の投入で、ロシアはかなり苦戦しました。退却した。技術力の差が出たかなと思うのです。このようにロシアは小さなウクライナ一国とではなく、欧米ディープステイトと戦っている。

BF　私が言いたいのは、アメリカ製はコストが高すぎて、大量に使えないということです。要は一部のピンポイントにはいいのだけれど、何万発という大砲の物量には対抗できないというのがウクライナ側の状況だと。

副島　持久戦になればロシアは勝つと。

BF　そういうこと。

副島　いつぐらいまで続きますかね、この戦争。

BF　この冬の間には勝負がつきますよ。なぜなら、いまヨーロッパはどこもガスの供給が逼迫していきます。このままだと冬を越せないから。それまでには勝負がつくと思う。

副島　私は極端言論をする人間ということになっていますから、プーチンが正しいと言い続けている。プーチンはフィロソファー・キング「哲人王」なんだと。独裁者の政治家として大天才だ。同時に、優れた思想（フィロソフィー）を兼ね備えている。今の世界中の指導者の中で、プーチンほどの人物はいない。

　今回だって、2月24日にウクライナでの戦争に騙されて引きずり込まれたんですよ。いくら西側に、「それ以上、手を出すな。それ以上ウクライナに出てくると、それはロシアにとっての存亡の危機になる」と、何度も西側（欧米）に警告した。プーチンは怒り心頭に発して、ついにキエフに3方向から突っ込んで行かせた。ロシア系住民を助けるという大義名分（cause コーズ）で。ところが、開戦して最初の2日間で、例のキエフの北のアントノフ空軍基地にロシアのスペッツナズ（特殊部隊）が降り立った瞬間に彼らは全員、アメリカの民間軍事会社のアカデミに殺されました。ウクライナ側は用意周到に待ち構えていた。あの時、他にもキエフの南に降下しようとした、イリューシンというロシアの輸送機が3機ぐらい撃墜されています。これでロシアの最精鋭部隊が８００人ぐらい死んでいます。あとは、二十歳ぐらいの青年たちが乗った戦車隊がダーッと真っ直ぐツッコんでいきましたから、ジャベリンとドローンでいっぱい死んだ。ロシアの戦車が１０００台ぐらいやられた。

　私は4月1日にブチャの虐殺（マサカー）があった時に、カーッと怒り狂いました。西側、欧米がやることはあまりにもヒドい。あんな民間人（非戦闘員）の大量殺害という捏造事件をでっち上げて、プーチンを戦争犯罪人（ウォー・クリミナル）として、ハーグのICC（アイシーシー）（国際刑事裁判所）に掛けて、世界から葬り去ろうとした。着々と手ぐすねを引いて、この虐殺事件も実行した。私は怒りました。「プーチン、もういい。お願いだから、ローマンカトリックの本部、ヴァチカンに1発。イギリス国教会ウエストミンスター大聖堂とその裏のイギリス議会に1発。それからハーグの国際司法と刑事裁判所に1発、そしてニューヨークに1発、計4発の核弾頭を落としてくれ」と書いたのです。誰にも相手にされませんでした。唯一、孫崎享（まごさきうける）さんという元外交官で、国際情報局長、イラン大使もした人が、「いや、それでいいんですよ。プーチンに副島さんが命令して、プーチン打て、と命令したのですから」と言ってくれました。彼がもう、何を言っているのか分からない（笑）。それは、どういうことかと言うと、あなたは自分の意見を言っただけで、どうせ誰も聞いていません。誰も相手にしませんから、ご自由にどうぞ、ということでしょう。人間は自分の意見を言う自由がある。孫崎大使は、私にそれを言った。欧米近代人であれば、「人は自分の意見を言うのは自由だ」という原理（プリンシプル）がある、と、知識人なら誰でも分かっていますからね。私は、組織団体に属していません。この国でどこの団体にも入っていない。自力で出版と原稿収入で食べている。だから誰からも、どこからも束縛（そくばく）されない。何でも言える。大事なときに何でも言える人間が一番強い、ということでもあります、逆に。

フルフォードさん。停戦協定、cease-fire agreement はあると思いますか。

BF　最新情報では、先ほど言った9月14日から16日にかけてウズベキスタンのサマルカンドで開かれた上海協力機構の首脳会談に、ローマ法王があわてて飛んでいって、習近平とプーチンに会おうとしたそうです。

ところが、会おうとしたけれど会わせてもらえない。プーチンにも習近平にも「会わない」と言われて、困ったローマ法王が、「分かった。ドネツク州を全部あげるから、和平にしてください」と言ったというのが、私のもとに入ってきている最新情報です。

副島　ローマ法王がしきりに、自分が世界最高権威者だから、自分が仲裁（ミーディエイション）して停戦させる、と動いているわけですね。だけど、プーチンも習近平も「お前なんかには会わない。お前は敵だ。何をしらばっくれているんだ」ということですね。

ドネツク州とルガンスク州、南にザポロージャ州とヘルソン州があるでしょう。この4つをロシアが占領して、自治共和国として独立させて、すぐにロシアに併合しました（9月30日）。オデッサの東側にヘルソン市があって、ロシア軍は、11月8日に、ここから戦略的撤退をして、ドニエプル川の東側まで退却しました。兵士の死者を出さないで済んだ。そして北のハリコフ（ハルキウ）からもロシア軍は撤退しましたでしょう。

BF　私が聞いているのは、ウクライナ側が奪還にこだわっているのはまずドネツク州、ルガンスク州で、ウクライナが反転攻勢（カウンター・アタック）で大勝利を収めたハリコフは、ロシア側の情報源に聞いたら、そこにはロシア軍は誰もいなくて、テロ対策用の警察しかいなかったというのです。つまり、「ウクライナ正規軍　対　ロシア警察」という構図だったから、ロシア側は戦わないでみんな引き上げたというんですね。

副島　戦わないで引いたら、兵士が死なないで済むと。

BF　そういうこと。

副島　ロシア軍はあまり死んでいないんだ。西側は盛んにロシア兵がたくさん死んだと宣伝していますが。

BF　実際そこにロシアの正規軍はいなかった。警察しかいないところに入ったというふうに聞いています。でもたしかにちょっとは撃ち合ったところもあるというのですけど。それは一時的なものだったと。

副島　ということは、ロシアはもうハリコフ州を見捨てたんでしょうかね。

BF　まあでも取り戻そうと思えばね。

副島　まだできる。ウクライナ第2の都市であるハリコフ（ハルキウ）の住民の7割はロシア系だと言われています。大学都市でもある。ところが、どうも、ハリコフ市民の多くが、ロシアの占領を嫌ってウクライナ（ゼレンスキーのキエフ政権）のほうに付いたようです。私には、これ以上は分かりません。現地の真実は、行ってみなければ分からない。

◆ウクライナ戦争のそもそもの発端

BF　ただね、今、ロシアで実際に暮らしている人たちに聞いてみると、特に戦争をしていないのです。

る感じがしないって、みんな言うんですよ。つまり、日常生活がいたって普通のままだと。だから私は、正直言うと、果たしてどこまでこの戦争は本当なのかという疑問を覚えて仕方ないのです。

それで、直接ロシアで暮らしている人たちにウクライナのことを聞くと、彼らの見方がまたものすごく違っている。彼らが言うには、チャバド（Chabad）というユダヤのカルトが、もともとハザール王国（紀元6－10世紀）の流れを継いでいるものだった。だから、今、あそこにいるウクライナ人を追い払って、自分たちの民族の居住地を作ろうとしていると。要するに、このユダヤ・カルトは、イスラエルがそのうちダメになるかもしれないから、もうひとつのユダヤ国家をウクライナの地に作ろうとしているのです。

今回のウクライナ戦争の、そもそもの発端は、今年（２０２２年）の正月に、カザフスタン（中央アジア5か国で一番大きい国）で起きた政治騒乱＝革命未遂が原因です。2万人ぐらいのカザフ語を喋れない「カザフ人」と称する人たちが、前の大統領のナザルバエフ政権を倒そうとした。ロシアは、２０１４年に一度ウクライナで同じ手を喰(く)っていますからね。

２０１４年の時、どういうふうにアメリカがウクライナで政権転覆を引き起こしたかというと。アメリカ国務省が都市の中心地にテントを建てて、デモに参加する人たちに1日50ドルを支払って人集めをしたのです。それがそのあとキエフにも入った「ウクライナ人」の正体です。日本人感覚で言うと日当5万円の手当てをもらって、デモがないときはそのテントの中で麻薬をやりたい放題。その代わりに我々がデモをやれ、と呼びかけたときにはそれに参加しなさいというのが条件。それでいっぱい暇人が雇われた。抗議デモというのは名前ばかりで、実質暴動です。そこで警察がそれを止めるわけですね。そのとき、あらかじめ用意していた第3者が、政府側と反政府側の両方をいっせいに撃ち殺し始めた。そうすると双方が本気で怒って戦うようになった。それで計画どおり親ロシアの政権が倒れた。

副島　2014年2月のウクライナのキエフの独立広場で起きた、いや計画的に起こされたマイダン暴動ですね。

BF　そうです。マイダン暴動。その当時、ロシア寄りと言われていたヤヌコーヴィッチ大統領が、じつは裏で賄賂をもらっていて、すぐにキエフから逃げました。そのあと彼らのエージェントだった者（オレクサンドル・トゥルチノフ）が大統領になりました。今回、私が言うところの「ハザールマフィア」たちがカザフスタンで同じことをやろうとした。そうしたら、2014年のときとまったく同じやり方だったから、ロシアとカザフスタン政府は今度は学習していて、見事に似非（えせ）革命騒ぎを止めたということです。そこでその次のウクライナでの軍事作戦に移っていきました。

◆ウクライナの地にあった「ハザール王国」

ＢＦ　昔のハザール（カザール）王国を地図で見ると、今のカザフスタンとウクライナにピタリと重なるのです。

副島　私がこれまでに10年、勉強した知識ですが、アーサー・ケストラー（Arthur Koestler １９０５－１９８３）という、ものすごくずば抜けて頭のいい人がいて、*The Thirteenth Tribe*（第13支族）, 1976 という本を書いています。ケストラーはドイツのユダヤ人です。私はこの本を詳細に読みました。もう15年ぐらい前のことです。そこに「ハザール王国」のことが詳しく出てきました。

ＢＦ　ウクライナの国章のマークと、ハザール王国の紋章は一緒。まったく同じシンボルを使っています。昔あったハザール王国と今のウクライナ政府はつながっている。そこはもう確認できています。

副島　それで、アーサー・ケストラーは、もともとはジャーナリストから出発した人で、21歳でパレスチナに行ったときに、ドイツの通信社の通信員になり、そこからパリへ行ったり、ベルリンへ行ったりしている。その間にドイツ共産党に入った男です。それからソビエトに行き、そこでソビエト体制の裏側の真実を史上初めて目の当たりにして書いた。ソビエトというのはひどい体制の国だ。西欧知識人たち（ロマン・ロランやアンドレ・ジッド、バーナード・ショー、H・G・ウェルズ）が賞賛しているような地上の楽園、労働者たちの理想の国ではない。たくさんの人が投獄され処刑されている、と書いた初めての人です。『真昼の暗黒』"*Darkness at Noon*" という本です。1940年刊です。

反スターリンの大物指導者のブハーリン（1888－1938）が1938年に殺された。その時の「ブハーリン批判」を描いた本です。この時に、ケストラーはモスクワにいた。それで共産主義者だったんだけど、帰ってきて共産主義批判を始めた。このときソビエト体制に憧れを抱いていた西欧の知識層が大きなショックを受けた。激しい衝撃を西側世界に与えた本です。私の見方からすると、優秀な素晴しい知識人です。このケストラーの本に対して、賛否両論が出て激しい議論が起きた。この「果たしてソビエトは正しいのか」の議論は、そのあとも世界各国で続いて、それは何と1970年代まで続きました。日本でもそうです。日本の左翼（社会主義者）たちも大きく動揺した。ジョージ・オーウェルの "*Nineteen Eighty-Four*, 1949"『1984年』が出て、ソビエト体制を告発したのはそのあとです。

そのケストラーが、自分自身ユダヤ系で、このハザール（ウクライナ）の第13支族の出で、しかも、ハザール王国のハザール人の子孫だ、と書いています。それでドイツ系ハンガリー

現在のカザフスタンとウクライナに重なる「ハザール王国」の版図

ウクライナの国章（左）とハザール王国の紋章（右）は同じ。
元々は漁で使う武具の三叉銛（ trident ）の図である。

人です。フルフォードさんもカナダ人だけどユダヤ人の血が入っている、と前に言いましたよね。

さらに、この『第13支族』の中には、イスラエルのテルアビブ大学やヘブライ大学の一番優秀な歴史学の教授たちの名前が出てくる。自分は彼らの本から学んだと。彼らの文献をちゃんと引用しています。西暦5世紀から10世紀に、今のウクライナにハザール王国を作ったハザール（カザール）人たちは、パレスチナ（イスラエル）に行ったこともないし、居たこともない。だから彼らはユダヤ人種(レイス)（民族(トライブ)）ではない。ハザール人たちは、ユダヤ教の聖典を信じて自分たちの信仰(ビリーフ)（宗教(レリジョン)）にした。ただし、モーセ五書（トーラー Torah ）だけ。戒律集タルムード Talmud（生活規範の書）は採用しなかった。これを古来のユダヤ人（ユダヤ教徒）の12部族（レヴィ族とかベニヤミン族とか）に続いて、新設、創作された第13支族(トライブ)だ、としました。これが今のウクライナのゼレンスキーたち新ユダヤ人たちで、ユダヤ教徒ではない、おかしな奇っ怪(きかい)な者たちですね。それを「ハザール（カザール）マフィア」と呼んで、フルフォードさんが厳しく批判している。だから私はアーサー・ケストラーはものすごく、ずば抜けて優れた人だと思います。

BF　そう。それでアーサー・ケストラー以降、遺伝子技術(ジェネティクス)がものすごく進化しているので、それで一生懸命ユダヤ人の遺伝子を調べても、このウクライナのユダヤ人の遺伝子には中近

ハザール人を古来のユダヤ人12部族に続く、新設された第13支族だとしたアーサー・ケストラーの名著『第13支族』（*The Thirteenth Tribe*）

ケストラーの功績を称揚した副島隆彦著『日本人が知らない真実の世界史』（日本文芸社、2018年刊）

アーサー・ケストラー
（1905－83）

東人（セム族）の遺伝子が入っていないことが分かりました。

副島　入ってないですね。

BF　それで、ほんとの旧約聖書（バイブル）に出てくるユダヤ人は、今のパレスチナ人になっている。7世紀、8世紀頃にイスラム教に改宗した人たちだ。

副島　パリサイ人、英語では「ファラシー」（Pharisee）と言いますが、今のパレスチナ人というのは、ファラシーのことですね。偽善者（ヒポクリット）という意味だ。このファラシーがパレスチナ人になった。だから、今のパレスチナ人がもともとのユダヤ人だ、ということになる。

BF　その通りです。

副島　まったくもって瓢簞（ひょうたん）から駒（こま）の笑い話です。バカみたいな真実なんですよね。

BF　それがスファラディ（セファラディムとも言う）系のユダヤ人。あれは本物のユダヤ人です。それに対してウクライナ（ハザール王国）から東欧、スラヴ地域に流れたユダヤ人のほうは、アシュケナージと言います。「スラヴ」というのは奴隷ですよ。

副島　スラヴ人はスレイヴ slave ですね。ロシア人とポーランド人が北スラヴ人で、セルビア人とかの東ヨーロッパ人が南スラヴ人ですね。ゲルマン族（ジャーマン）はローマ人から見下（みくだ）されましたが、そのゲルマン人もさらに、スラヴ人を捕まえて奴隷にした。

BF　要は1240年代にやって来たモンゴル帝国に制覇されて、何百年間か奴隷民族だったのです。ところが、このハザール王国は、その北にいた白人をかき集めて中近東に奴隷として売っていた。奴隷商人の歴史です。だから、スファラディという言葉もスラヴと関係していると思う。

副島　アーサー・ケストラーによると、西暦5世紀、紀元４００年代から９００年代までハザール王国があった。サルケル砦（とりで）というのがあった。現在のヴォルゴグラードです。以前のスターリングラードだ。ちょうどヴォルガ川とドン川が交わるところに有る。重要な戦略拠点です。そのサルケル砦が、９６５年に陥落した。サルケル砦が陥落したので、ハザール人たちはぞろぞろぞろぞろとハンガリー、ポーランドのほうに人々が逃げていった。それが今のアシュケナージ・ユダヤ人ということですね。

ＢＦ　その通りです。

副島　フルフォードさんの血の中に入っているユダヤ人はアシュケナージなんでしょう？

ＢＦ　そうです。私の母方のおばあちゃんは、自分はユダヤ人じゃないと最後までがんばっていた。けれど、彼女の兄弟、つまり私の大叔父、大叔母はみんな、自分はユダヤ人だと名乗っていました。だから、もちろんユダヤ人です。いま90歳の私の母親がやっと教えてくれました。

この母方のおばあさんは「ホランダー」という姓を使っていたのですが、自分はユダヤ人じゃないと言って、プロテスタントに改宗したという証明書をいつも持ち歩いていたそうです。その改宗後の名前が「ホランダー」というのですが、本当は「ホスティーン」（Horstein）というユダヤ名だった。horse（馬）＋stein（石）だから、日本風に言うと「馬石」さん。本当は「ホスティーン」だったのに、ユダヤ人じゃないと言い張って「ホランダー」に改名するというのは、たとえて言えば、中国人が日本に帰化して「大和（やまと）」さんになるようなもので、笑っちゃう。いかにもオランダっていう名前ですから。そこまでして自分はユダヤ人じゃないと言いたかったんですね。

で「ホスティーン」のほうですが、その名の通り、これは中央アジアの馬賊（遊牧民（ノウマド））から来た名前です。だから、完全にアシュケナージです。

父方のおばあさんも自分はユダヤ人でないと最後までがんばっていました。だけど、亡くなる直前に、私の父に、じつは自分もユダヤ人だと話してくれました。こちらのおばあちゃんのユダヤ名は「ウェラー（Weller）」といって、ハンガリー系。だから、こちらも元は馬賊です。でも、やっぱり恥ずかしいからずっと隠していた。

副島　そうかー。フルフォードさんの両親の両方にユダヤ系の血が流れている。でもそのことを隠（かく）したがっていた。それは、現在ではクローゼット・ジュー、隠れユダヤ人という言葉で呼べばいいのですか。この隠れユダヤ人（クローゼット・ジュー）がアメリカ合衆国の白人プロテスタントの中に2

000万人いる、と言われています。だから、アメリカのユダヤ系市民が、たったの900万人のわけがない。900万人では政治勢力にならない。少なくとも3000万人いないと。

ヒラリー・ロッダム・クリントンはオランダの名門の商人一族のロッダム家の出です。別に隠しているわけではない。ニューヨークは、元はニューアムステルダムで、オランダ・ユダヤ人が移住して来て建設した都市ですからね。

BF ヒラリーのことはまたあとで話すとして、まず「隠れユダヤ人」のことですが、隠れユダヤ人というよりも、真剣に「脱ユダヤ人」しようとした人たちですね。ユダヤ人であることが嫌で、恥ずかしくて。だから、何か意図をもって隠れているわけじゃないし、隠れてユダヤ人に潜り込むためでもないし、反対に、むしろ無神論的。

副島 ユダヤ教（Judaism ジュダイズム）信者であることを拒否する人たち。

BF そうです。ヘンリー・メイコウ（Henry Makow 1949- ）というカナダの作家のサイトがお薦めですよ（https://www.henrymakow.com/）。この人も元々スイスで生まれたユダヤ人で、子どもの頃にカナダに移住してきたのですが、彼が私と同じような反（はん）ハザールのユダヤ人なのです。

問題は、私やヘンリー・メイコウと同じアシュケナージだけれども、熱心にシナゴーグに通っているユダヤ人がいて、この人たちが、私たちみたいに普通に社会に溶け込もうとするユダヤ人と、ものすごいギャップがあって。だからユダヤ社会も完全に分裂しているのです。

副島　そうかー。フルフォードさんが、今の頑迷な、今でも選民思想（chosen people）を持って、「自分たちは、神に選ばれた特別な人間たちなのだ」というユダヤ人たちを嫌うのがよく分かりました。

ユダヤ系（人）もこれだけ複雑に思想分裂していると、何が何だか、日本人には分からない。私は、生来の政治知識人（ポリティカル・インテレクチュアル）だから、ようやく、なんとか、その激しい分裂の流れ、歴史が分かります。私でやっとのことですから、他の人たちでは、ちょっと、まだまだ無理ですね。

私がフルフォードさんの後から付いていって、さらにもっと分かり易い日本語で、彼らに解説しないといけない。

ここでアシュケナージ Ashkenazim（アシュケナージムとも言う）と、セファラディム Sephardim の大きく2種類あるヨーロッパ・ユダヤ人についてですが、アシュケナージが、今の最も典型的なヨーロッパ各国にいるユダヤ人ですね。ワシ鼻で黒い髪で、赤色、黄色の髪までいる。彼らは、ハザール人起源（第13支族）で、ポーランド、ハンガリー、ドイツに移住していった人たちだ。今のイスラエルやパレスチナと関係がなかった。

それに対して、セファラディムのほうが、もともとのパレスチナに土着のユダヤ人たちを指す。どうもイスラエルに無理やり帰って来たアシュケナージたちからセファラディム・ユダヤ人は下層民扱いされて差別されている。

セファラディムは、スペインという意味だから、ディアスポラ（大離散(りさん)。国外脱出）で地中海全体にも広がりました。でも、アシュケナージとも混ざっている。1492年にスペインから、オランダ（ロッテルダム）に命からがら集団移住していった「ユダヤ500家族」は、自分たちをアシュケナージ（上等のユダヤ人）だと思っていますね。

私は、しつこくアーサー・ケストラーの本に戻ります。西暦400年代、500年代ぐらいからハザール王国は今のウクライナに出現したのであって。再度言いますが、彼らは、トーラーだけを自分たちの聖典にしたわけです。モーセ五書と日本語では訳しますが。このモーセ五書だけでいい。戒律集であるタルムードは要らない、と。

BF　そうそう。

副島　その前の西暦200年代ぐらいに。日本語では匈奴(きょうど)と言いますが、「シュンヌー」という遊牧民系の大きな部族が中国の北のほうにいた。そしてどんどん西方へ移動した。これが今のハンガリー人で、自分たちをマジャール（人）と呼んでいます。周(まわ)りの東欧スラヴ人と区別がつかないのですが、ハンガリー人自身は自分たちはマジャール（シュンヌー）だと言う。匈奴(フンヌ)（フン族）は、鮮卑(せんぴ)族に負けて西へ移動していった。

匈奴の後に鮮卑族という強い騎馬民族（本当は遊牧民だ）が出ました。これは移動しなかった。この鮮卑族が、のちに北魏や隋、唐の中華帝国を作った。鮮卑拓跋氏と言って、別名を羌と言います。中国人の知識人から教わりました。この鮮卑が中国の北部からシュンヌーを追い出した。これが２００年代です。西方に追い出された匈奴（フン族、シュンヌー）が、ハンガリーの原型を作りました。同じく、フィンランドも彼らが建国した。今でも本物のフィンランド人は髪が黒くてアジア系の顔をしている。決してドイツ人（ゲルマン人）のような金髪長身ではない。ロシア系でもない。だからフン、ランドです。ハンガリーも元はフン、ガリーです。

私はハンガリーのブダペストに行った時に、アッチラさんという人に何人も会いました。アッチラ大王のアッチラさんです。

フン族（シュンヌー）は紀元４５１年、ローマ帝国にまで攻め込みました。しかし、お金を支払ってもらって、アッチラはローマの街には入らなかった。結局、カタラウヌムの戦い（４５１年）で負けてアッチラはハンガリーに引き揚げます。今の首都ブダペストの北のあたりに都を築いた。

このあと、サルケル砦が落ちた（９６５年）ので、ぞろぞろとアシュケナージ系のハザール人がハンガリー、ポーランドに移動して来た。だから、もともといた遊牧民系の人たち、アッチラ大王の子孫たちが、そのままそこに残っていた。しかし、フン族がやって来るその前に、じつは東ゴート族（ゴーシック）と呼ばれる部族が、ドナウ川を越えてこのあたりまで来たことも分かっています。彼らは西暦375年に、フン族に征服されて、一部はフン族に同化しましたでしょう。そうすると、もともと遊牧民系の部族がいたハンガリーやポーランドに、アシュケナージ系のユダヤ人が少しずつ入ってきたことになります。中国の万里の長城とまったく同じで、古代ローマ帝国も、「お前たち遊牧民はここから南には入ってくるな」と土塁の壁、屏を作っていたんですね。とりあえずドナウ川（ダニューブ川）で侵入をくい止めようとしたがだめでした。

◆ヒクソスを起源とする帝王学

BF 起源的なことを言うと、私はじつはもっと古代にまで遡れると思っているのです。というのは、ヒクソスと呼ばれる部族が古代エジプトの時代にいて、エジプト中王国を崩壊させました（紀元前1795年）。このヒクソスという部族は、古代アッシリアにいたアジア系（セム系）の部族と言われている。ずっとエジプト王国と戦っていました。ずいぶん栄えたようで、あっちこっちの山奥に彼らの町の遺跡が今も残っています。文献も見つかっていて、最初解読できなかったけれど、解読されると、ヨーロッパ系の言語だった。この人たちがエジプトまで攻めて来て、エジプト中王国を崩壊させた。それで、彼らはいわゆる馬賊だった。

副島　だからそれは、ヒッタイトなんです。ヒッタイトとヒクソスは同じですよ。こういう簡単で大きな本当のことを、歴史学者たちがちゃんと言わないからいけない。ヒクソスとヒッタイトは同じです。

BF　そうです。ヒッタイトです。

副島　ヒクソス、あるいはヒッティとも呼ばれていたヒッタイトは、紀元前１９００年ぐらいからアナトリア（今のトルコの中部）にいた。紀元前１７００年頃にアナトリアのハットゥシャ（ボガズキョイ）に都を築いた。鉄器（アイロン）を最初に使ったと言われています（私は、このヒッタイトが、１０００年かけて中国にまで移動してきて秦（しん）になったと考えます。紀元前２２１年に中国の秦（しん）の帝国を築いた始皇帝である）。それまでの青銅器（ブロンズ）文明（青の時代）が、鉄器に負けて滅んでいった。ヒッタイトはエジプトとは何度もぶつかっていて、ヒクソスが勝って中王国（紀元前20世紀－紀元前18世紀）と新王国（紀元前16世紀－紀元前11世紀）の間の中間期には、ヒクソス系のエジプト王朝がいくつもありました。ヒッタイトになってからは、エジプト新王国第19王朝のラムセス２世とカデシュの戦い（紀元前１２７４年）で大激突して、引き分けたんですよね。その事実を刻んだ石碑が両方に残っているので、世界中の歴史学者が認めている。

BF　そうです。それでこの、のちのヒッタイト、ヒクソスの人たちが、ヤギの顔をして、二股の尻尾を持った神様を崇拝していたんですね。それをバール神とかモレク神、あるいはセト神と呼んだ。そして、このヒクソス人たちが、じつは他の民族を家畜にして管理するという帝王学を持っていたと私は見ています。

副島　家畜というのはライブ・ストック live stock です。「生きたままの備蓄」です。殺さないで生きたまま管理するんですね。

　私は勝手に自分の脳で考えるのです。殺さないで管理するのは、生(な)ま物は殺すとすぐに腐り始めるからです。夕方には腐って、もう食べられない。日本人も、東京湾で魚を獲って、昔は冷蔵庫とか氷とかないですから、捕ったらその日のうちに日本橋の市場で売るしかなかった。夜には腐ってしまう。干物(ひもの)はありますけどね。だから漁(りょう)をした魚は、船の壺に入れて、生きたまま市場に持ってくるしかなかった。あるいは、酢でしめるか。しめ鯖とかあるでしょ。お寿司(すし)(酢でしめる)ですね。しめるって、首を絞めるという意味ですよ。だから生きたまま市場に持ってきて売ったんですね。ライブ・ストック「生きた備蓄」と言うのはこのためだと思う。

BF　いや、ですけどね、一神教では、神様のことをよく羊飼い(シェパード)と呼びますが、実際の羊飼いは羊を殺して食べるじゃないですか。喉(のど)を一瞬で引き裂いて殺します。そういう発想です。要するに、一般人は自分たちの家畜であり、自分たちは彼らを管理するだけでなく、殺して捌（さば）くのも自分たちの当然の権利だと思っている。
ヒクソスを起源とするそういう帝王学をもった人たちが、だからめぐりめぐって今の、欧米の支配階級を支配している、という壮大な人類4000年の歴史が私たちの歴史と言えるのです。

◆アジア人でも白人でもない人たちが住むところ

副島　フルフォードさんの言うその遊牧民（ノウマド）の一般人というのと、支配階級の違いが、ちょっと分かりません。私の理解では、一般人、すなわち普通の遊牧民は、自分の家畜（ライブストック）を食用に殺して食べる。これは当たり前で、自然だ。ところが、セム族系で、一神教（モノシイズム monotheism）を作って、自分たちは特別な人間だ、と信じ込んだ者たちは、他の人種（レイス）の人間たちをも自分たちの家畜（ライブ・ストック）扱いしてもいいのだ、と考えるようになった。それが人類の支配階級（ルーリング・クラス）になった。まさしくディープステイト＝カバールです。悪魔教の人たちだ。

BF　そのとおりです。

副島　このフルフォードさんの考え（理論）は、首尾一貫していますから傾聴に値します。すばらしい。

私は今から13年前（2009年）に中央アジアのカザフスタン国に行って、アルマトイ（アルマトゥ）と首都のアスタナにも行きました。アスタナはバルハシ湖を飛行機で北に越えたずっと北方にあって、ロシアとの国境に近い寒いところです。冬は零下40℃ぐらいになります。普通に考えたら、とてもじゃないけど、人が集まれるような場所ではない。それでも人間は生きています。カズフスタンの北のほうに有るから、アスタナにはロシア人と混ざった感じの人たちがたくさんいました。彼らに独立運動とロシアへの併合をされたくないから、だから首都をわざと南の暖かいアルマトイから、北の寒いアスタナに1997年に移したんだ、と現地で聞いて分かりました。

もともとの首都だった南のアルマトイは大森林地帯で、森がある。ヒマラヤ杉みたいなのがいっぱい生えていました。砂漠のオアシスという感じではなかった。雪解け水がたくさんある。だから、アメリカのニューヨークとワシントンがダメになったら、新しい世界銀行（ニュー・ワールドバンク）ができるのはここだろうと思って、そのように自分の本で書いて来ました。なぜなら、このアスタナがユーラシア大陸のヘソであり、地理的に中心です。元はソビエト・ロシアの一部だし、中国にも近い。インドとブラジルが、「そこでいいよ」と言えば、ヨーロッパ人もそれに引きずられますから、アスタナに新しい国際決済銀行が出来るのが一番いい。ウズベキスタンのサマルカンドではちょっと砂漠過ぎる。

アスタナはいま、ヌルスルタンと名前を変えた。（ヌルスルタン・）ナザルバエフ大統領の名前をとって。大王という意味らしいのです。

BF アスタナに戻ったんですよ。

副島 え、また戻ったのですか。

BF そう。今年の1月に騒乱が起きて、独裁者と言われるナザルバエフが失脚したから。

副島 独裁者と言われていますが、私はナザルバエフ大統領が好きです。私が実際にカザフスタンで聞いた話では、ナザルバエフには2人の娘さんがいる。その旦那が両方ともバカなんだそうです。それでカザフスタン国民から嫌われていた。だから今のトカエフという新しい大統領に追い出されたそうです。ところが、どうもこのトカエフの後ろにはアメリカがいます。アメリカがカザフスタンを西側に引きずり込もうとしている。だから1月にクーデターが起きた。フルフォードさんが先ほど言いました。「ヘンな外国人2万人」が首都アスタナに出現して、銃を乱射して暴れた。プーチンが命令してロシア軍が派遣されてこれを鎮圧しましたね。でも今もトカエフ大統領の態度はおかしい。プーチンのウクライナ大進攻に賛成していない。ナザルバエフのほうはあくまで親ロシア、親中国派です。そうですか、ナザルバエフが追い出されて、ヌルスルタンもアスタナに戻ったのか。

それはそれでいいのですが、ついでに言うと、私はカザフスタンへ行った後、どうしてもモンゴル国のウランバートルにも行きたくなった。カザフスタンとモンゴルは東西につながっています。カザフスタンが大きなタイ焼きみたいで、その東隣に2分の1ぐらいの大きさのモンゴルがある。カザフスタンはそれぐらい大きい。10月だったかな、もうかなり寒くなり始めていた頃、ウランバートルに行った。こんなところで本格的な冬になったら、とても日本人では越せない、無理だと思いました。ガイドさんに、私と同じようなモンゴル人の顔をした人たちのいる町か、都市に連れていってくれと頼みました。私の顔は明らかにモンゴル人です。私と同じ顔をした人のところへ、とね。日本人は本当はモンゴル人ですよ。

ところが、ガイドさんが言いました。あなたの顔は北朝鮮人だと（笑）。よく区別がつくのですね。細かくじっと見ていたら、モンゴル人も少しずつ違います。モンゴルで人気のある女優たちの顔が飾ってありました。みんなゴツイのです。西洋白人のナヨナヨした感じではなかった。

BF　語学的に言うと、日本語、モンゴル語、韓国語はすごく近いです。あとフィンランド語と、バスク語。語順とか、とても近いですね。

副島　アルタイ語というやつですね。ウラル・アルタイ語族。

BF　そうですね。なんらかのつながりがあったのは間違いない。でもカザフスタン、私は行ったことがないのですが、カザフスタンがお金をかけて作った『女王トミュリス』（2019年）という映画があって、これを見ると、カザフスタンの人の顔はアジア人でも欧米人でもない。合体型ですね。ほぼアジア人と、ほぼ白人の人と、それからその中間の人がいっぱいいる感じです。実際、中央アジアへ行くと、白人とアジア人の境がはっきりしません。少しずつ、村ごとに変わるみたいな、全体にそういう地域なんですよね。

副島　そう。カザフスタンはそのとおりでした。白人のような人もいる。それに対して、モンゴル人はふにゃふにゃした感じがなくて、ごっつい、がっしりした顔立ちの人が多い。私は素晴しいと思いました。私もモンゴル系です。シベリアの雪のツングースの大平原で、雪に反射した陽（ひ）の光が強い。それが目の中に入って来ないように。それとブリザード（雪颪）が吹くので、それで目が細くなった。サングラスをかける必要がない。それと太陽の暖かさを顔いっぱいに受けとめようとして平べったい顔になったんですね。私の勝手な考えですが、自分で実感があります。

それで思うのですが、おそらくもうプーチンたちは、ロシア人はネオ・ユーラシアニズムという、アレクサンドル・ドゥーギン（1962－　）たちの思想で、自分たちはユーラシアンなのだ、と、はっきり決断したんじゃないか。ユーラシアンとは、アジア人の血が入っ

ロシアの国章の双頭のワシは「東と西の両方を見ている」という意味

ロシアの国章

ビザンチン（東ローマ帝国）の国章

てる白人という意味でしょう。

BF　ですから、ほら、ロシアのシンボルと言えば、双頭のワシですよね。これ、何を表しているかと言うと、要は東と西の両方を見ているという意味なのですよ。

副島　それはビザンチン（東ローマ帝国）のマークですよね。

BF　ビザンチンもそうですね。ロシアは自分たちはビザンチン帝国の後継者だと思っています。

ちょっと面白い話があって、カナダのバンクーバーで、１９０７年に、中華街に対する焼き討ち、暴動があった。中華街が燃やされた。日本人街も燃やされたけど、中国人街が一番被害がひどかった。事件後、国が調査委員会を開いて原因を調査した。分かったのは、カナダが自治領カナダとして英国から独立したのは１８６７年です。そのあと、西方のブリティッシュ・コロンビア州がこの自治領カナダに加わることになったのですが、そのときの条件が、東部にあった鉄道を太平洋側まで延伸してくれ、ということだった。つまり、国家横断鉄道を作らなければならなくなった。しかし労働力が足りないから、たくさんの労働者を中国から入れたのです。

副島　いわゆるクーリー（苦力 coolie）として。

BF　そう、鉄道労働者。それでその中国人たちは鉄道が完成したあとカナダに残って、一部は裕福にもなったんだけれど。当時、中国からお嫁さんを呼ぶのは禁止だったんですよ。するとロシア人の女性はアジア人と結婚することに抵抗がないから、中国人たちがたくさんロシアからお嫁さんを呼んだわけです。それで、カナダの都市の中華街にロシア・バーみたいなのがたくさんできた。背の高い金髪碧眼（へきがん）の美女たちが、そこで中国人の男性を相手にしていた。それを見た地元の白人が、あれは何？　風紀が乱れるって、中国人排斥の空気になって、それで最後は暴動まで起きた。それで結局、中国からの女性の移民が許可された。そういう経緯がありました。カナダの隠された歴史です。

私の娘は、１９９２年にそのブリティッシュ・コロンビア州のバンクーバーで生まれたのですが、娘が生まれた日、その病院で生まれた子の３割以上がアジア人とのハーフでした。ロシア人というのは、「タタールのくびき」と言って、３００年近くモンゴルの支配下にあって、アジアとはずっと付き合いがある。だからやっぱりアジア的な要素もいっぱい入っているんですよ。

副島　プーチンたちはもう西洋白人と断絶したんですか。

ＢＦ　そうですね。プーチンたちロシア人にしてみれば、自分たちはずっと西洋人だと言ってきた。キリスト教だし。ところがソ連崩壊後、では、我々ロシアもＮＡＴＯに入りますとロシアが言ったら、西側に、あなたたちはダメと言われた。なんじゃそりゃ、ということだと思う。それだったらもういいや。仲間に入れてくれないんだったら、知らないよ、みたいな発想になってしまった。

副島　たったこの30年間の話ですよ。1991年12月に、ソビエト崩壊ですから。たった30年間でこんなことが起きるんです。

BF　だから最初は、自分たちも「民主主義」になって、欧米のそういう「民主主義」国家、法治(ほうち)国家の仲間に入ろうと思った。それなのに、蓋(ふた)を開けてみたら全然違って、逆にずっといじめられた。それで怒った。

私は今回のロシアの動きは、ロシア側でもかなり前から計画されていたと思います。先ほど言ったとおり、ロシアは西側にはすでに1回裏切られているから、ものすごく慎重に計画していた。

ソ連崩壊の時に、オリガルヒ（ロシアの新興財閥）に対する西側の賄賂工作がずいぶんありました。オリガルヒだけではなくて、KGBの幹部とか、その他の政府機関の幹部たちに西側から高額な賄賂がオファーされていました。だからソ連崩壊と同時に、急にオリガルヒ、大富豪が出てきたじゃないですか。その際、私が言うところのハザール系ユダヤ人が大量にイスラエルに移民しました。あるいは、ロンドンにもたくさん移住しました。今ではロシア人富裕層が15万人住んでいると言われる。このロンドンをロシア人は「ロンドングラード」

と陰で呼びました。そうして、ロシアからオリガルヒがいなくなりました。
その時、ロシアでは、ロシア正教会（オーソドクス・チャーチ）の周りにいた古い体質の警察が、巻き返しを計画して、ロシアにいたオリガルヒ２００人ぐらいが殺されたらしい。そこにプーチンが登場した。ロシアはロシア正教（会）という再びキリスト教国家になったんですよ。つまり、オリガルヒの多くが海外に逃げたか、殺されたかという状況がありました。そこでまた西側のロシア叩きが再開しました。ところが、プーチンが大統領に就任してわずか1年で、ロシア人の生活水準は倍増したのです。収入が2倍になって生活が良くなった。

副島　私は去年の10月に、佐藤優さんと8冊目の対談本『よみがえるロシア帝国』（ビジネス社刊）を出しました。佐藤優さんは、日本の外務省が育てた対ロシアスパイ、国家情報部員だったのですが、いろんな顔を持っていましてね。もともとはエリツィン派です。エリツィンの副首相だった人とずっと付き合って、日本政府に重要な情報をもたらした。だから、佐藤優は自分はプーチンは嫌いだって言うのですよ。プーチンは昔、サンクトペテルブルクの市長の下でお茶出ししてたんだ、とか言ってバカにしている。そんなこと言ったって、あなたはロシアのスパイって日本国内では言われている。このウクライナ戦争でいい加減、はっきりロシアの味方をしなさい、と、私は彼に言ったんです。それで彼はわりとそういう発言をするようになりました。

1999年の12月31日に、エリツィンが大統領、プーチンが首相だったのですが、その時、プーチンがエリツィンに「もう辞めなさい。殺さないから、引退（リタイア）して、どこかで静かに暮らしなさい」と言ったんですよ。だから翌日の2000年の1月1日からプーチン大統領です。正式にはこのあと3月に大統領選挙があってからですが。私は当時、このことに気づいてびっくりしました。それから22年が経ったわけです。その間にロシア人の男の寿命が58歳ぐらいから67歳ぐらいまで伸びたんだそうです。ウォッカばっかり飲んでいたロシアの男性が、プーチンの国民教育でぐっと長生きになった。

BF お酒を飲まなくなったんですよ。

副島 プーチンが、酒を飲むのをやめて、スポーツをしなさい、とロシア国民の健康のことを配慮した。これは大変すばらしいことだ。普通、政治指導者はこんなことをしない。国内の権力闘争で手いっぱいだ。だから私はプーチンを尊敬するようになりました。

BF みんなアル中だった。私も覚えています。ソ連時代、ロシアの男たちはみんな昼間からウォッカを飲んでいました。みんな55歳ぐらいで死んでいた。

副島 じつは私もお酒をやめました。プーチンの言葉を聞いて。

私が、ニューズを見ていたときプーチンの言葉で感動したのがあった。このとき、イギリスのボリス・ジョンソンと、カナダのトルドーが、Ｇ７で調子にのって、軽口をたたいて、「自分たちもプーチンみたいに上半身裸になって馬に乗ろうか」と言った。それを聞いたプーチンが、「お前たち、裸になって何を見せるんだ？　上のほうと、下のほうもか」と言ったんです。その後、「私はあの各国のトップたちを知っている。それぞれ国の大統領や首相だから、気概（ヴァーチュー）は持っている。みんな根性がある人たちだ」と。このあとプーチンは何と言ったか。

「プーシキンは優れた人間のまま、自分の爪の美しさに気を配ることもできた。私はこれに賛成だ。１人の人間の中で、精神も体も、すべてが調和がとれた形で発達するべきだ」と言った。「プーシキンは、自分の爪を美しいと誇りに思える人間だった。しかしプーシキンは同時に世界のことも分かっていた」と言ったんですよね。プーシキンというロシア文学者のすばらしさを、西欧の人たちも教養としてよく知っているようです。

プーチンは、自分はお酒を飲まない。お前たちみたいな飲んだくれではないと言った。この言葉に西欧人たちも耳を傾けたようです。

BF　トランプ大統領もお酒を飲まない。お兄さんがアル中で死んだからね。

ひとつプーチンの話をしましょう。私と交流があったＦＳＢ（ロシア連邦保安庁）の女性がいて、カバー（表面の仕事）としては、ロシアでオリガルヒのボディーガード会社を経営している女性でした。その彼女が、本物のプーチンはもう存在しない、すでに殺されたと言うから、エッと驚きました。彼女が言うには、いま出ているのは影武者で、そのことは、ドイツの『ヴェルト』（*Die Welt*）という大手新聞に、当時の奥さんリュドミラへのインタビューが掲載されて、彼女が、自分の旦那は殺されて影武者に置き換えられた、だから離婚した、という記事が出たことで、かつて話題になりました。

それで今、歴代のプーチンの写真を見ると、耳の形が違う。整形手術で調整できないおでこと目の間の距離や、あごと口の広さとかも違う。それで今は7人目のプーチンだと言われています。今年（2022年）4月の軍事パレードで新しいプーチンが紹介されたんですよ。プーチンが姿を現さないから、もしかしてプーチンが死んだんじゃないかって言われていた時期です。そうしたら急に元気なやつが出てきて。ネットではたくさん挙げられている話です。ロシアによくある顔なんですね。第1次世界大戦時のプーチンとか、第2次世界大戦時のプーチンなんて写真も挙がっているんですよ。だからすごく影武者を作りやすい。歴代のプーチンの中には、プーチンが得意なはずのドイツ語を喋れないのもいたのです。

副島　フルフォードさんがそう信じるのは御自由にどうぞ、としか私は言いません。

プーチンの替え玉（代わり）がいることは分かります。ちょっとした写真撮影のときとかに出て来ます。しかし、私は、今のプーチンは本物だと思います。偽せ物、替え玉（body double ボディダブル）は演説（スピーチ）は出来ません。すぐに周囲にバレてしまう。世界的な権力者たちにそうコロコロ代わられると困るんです。政治評論ができなくなります。

◆世界をさらに上から支配する者は存在するのか

副島　その話はまた後でしましょう。

プーチンを操（あやつ）っているのは、シロビキと呼ばれるロシアの軍産複合体（ミリタリー・インダストリアル・コンプレックス）だとずっと言われてきた。私もこのことは知っていて、今もそうだと思っています。シロビキというロシアの軍と警察の集団のトップにいるのがプーチンだ。国民からの支持はそのあと生まれた。ただね、この10年ぐらい、「プーチンも習近平も、ディープステイトから、あるいはカバールから操られているんだ」と言われていた。私はずっと黙っていたんですよ。そうかもしれないと。黙っていたんです。

しかし、今回プーチンは、はっきりと西側ディープステイトと戦争を始めたでしょう。これは小国のウクライナと戦争しているのではなくて、西側諸国（ザ・ウエスト）と戦争しているわけですからね。だから、私は、もうこれはディープステイト＝カバールと、プーチンは戦争始めたんだと判断した。プーチンも習近平も誰からも操（あやつ）られていない。ということは、もうそのさらに上、というのはいない、と決めたんですよ。その裏はないんだと。どう思いますか。

BF 考え方次第だと思うのです。私は両方、あり得ると考えていて、それは、カバールではなく、チャバドというユダヤのカルトグループのことなのです。

このチャバドというのは、正式には「チャバド・ルバヴィッツ」（Chabad-Lubavitz）と呼ばれるユダヤ・カルトグループのことです。

副島 それとカバールとは別ですか。

「カバール（cabal）」の語源は、イギリスのチャールズ2世（1630－1685）の時代に、政治的志と政策を同じくするワルの5人の大臣（クリフォード男爵［C］、アーリントン伯爵［A］、バッキンガム公［B］、アシュリー［A］、ローダーデイル公［L］）のそれぞれの頭文字をつなげたものだと言われています。

一方、ディープステイトという言葉を最初に使ったのは、アメリカのジョン・バーチ協会（ソサイエティ）です。1950年代です。大韓航空機がロシア領のカムチャツカ上空で撃ち落とされたとき（1983年9月1日）に死んだラリー・マクドナルド（Larry McDonald 1935－1983）下院議員と、もう1人はロバート・ウェルチ（Robert W. Welch Jr. 1899－1985）の2人が代表です。この人たちが使い始めた言葉のはずです。

BF そうです。英語で一般に「カバール」というのは、陰謀を行う少数のグループのことです。たとえば、日本の財務省の中に、日本銀行の国有化を目指している「カバール」がいるとか、そういう使い方をします。

チャバドというのは、カバールという言葉が持つ意味も引きずっています。というのも、カバールとユダヤ神秘思想の「カバラ」には関係がある。ただ、語源的（エティモロジカル）にはまったく別です。チャバドの人たちは、一所懸命、自分たちのことを正当化しようとしていて、聖書の世紀末予言に出てくる2大大国、ゴグとマゴグの戦いが起きて、人類の9割が死んで、生き残った人たちは自称「ユダヤ人」の奴隷、いわば人間家畜になる、というカルト思想です。この自称「ユダヤ人」の1人につき2800人の奴隷がつく、という思想です。この人たちが言っていたこの計画を、彼らが本当に実行しようとしているのが明らかになってしまった。

実際、彼らは今回のコロナパンデミック騒動ではワクチン詐欺を働いている。これまで何度も第3次世界大戦を起こそうとしています。

本当のユダヤ人は、人間を家畜にするなんて思想は持っていません。我々以外の人間は家畜であり、殺しても何してもいいのだ、という発想は、本来のユダヤ人とは何の関係もない。だから、チャバドの人たちを批判することは「反ユダヤ主義（anti-Semitism（アンチ・セミティズム） 直訳は「反セム族」）」ではないのです。こんな連中はそもそもユダヤではないからです。

ということで、ユダヤと言われた人たちの中でいま、大きなひずみが起きている。

このチャバドの創設者のシュヌール・ザルマン（Shneur Zalman of Liadi 1745-1812）という人が書いたものを読むと、ものすごいことをずいぶん言っています。
例えて言うと、仏教の中に仏教を装ったオウム真理教があったようなものです。

副島 そのチャバドの人たちは表には出て来ないんでしょう。

BF いま、引っ張りだされようとしているのですが、そうなると、この人たちは、それはユダヤ差別だとか言うわけです。先ほど挙げたヘンリー・メイコウのサイトを是非読んでみてください。チャバドのことを一番暴露しているのは、ヘンリー・メイコウなど、本物のユダヤ人たちです。

私は普段、チャバドなどという言葉は使わずに、ハザール・マフィアという言葉を使っています。それは、ユダヤ差別という非難を避けるためでもありました。自分はユダヤ人だとずっと言っているのも、自分がユダヤ人だからこそ言えるという面もある。黒人だったら「ニガー」nigger と言ってもいいけど、白人が「ニガー」という言葉を人前で使うだけで大問題になる。それと同じ。チャバドによる一番の被害者はユダヤ人ですからね。一緒にしないでくれ、という気持ちです。真面目なイタリア人が「マフィア」と言われたら心外なのと同じです。日本人が海外の人から「ヤクザ」と呼ばれたら嫌でしょう。

さて、話を戻しますが、このチャバドの人たちは、いわゆる、サバタイ派、サバタイ・ツ

「チャバド・ルバヴィッツ」の創設者 シュヌール・ザルマン（1745-1812）

Shneur Zalman of Liadi（リアディのラビ、シュヌール・ザルマン）

下はニューヨーク、ブルックリンにある「チャバド・ルバヴィッツ」の本部

ヴィ（Sabbatai Zevi 1626－1676）という人の教えを継いでいます。このサバタイ派の考えがまさに、先ほど言った、2つの大国、ゴグとマゴグが戦って、人類の9割が死んで、生き残るのはユダヤ人、という教えなのです。

副島　サバタイ・ツヴィという17世紀の預言者（プロウフェト）はトルコ人ですよね。

BF　トルコのユダヤ人。彼は当時すでに100万人ぐらいの信者がいた。自分はメシアだと言って、その世紀末予言を自分たちの手で実現しなければならないと言ったのです。それで当時のトルコの王様（スルタン）に、逮捕された。

副島　ツヴィは最後はユダヤ教からイスラム教にコンヴァージョン（転向）しましたよね。

BF　本当にメシアだったら、お前、今ここで奇跡を起こしてみろ、起こせなかったら殺すと言われて、それは勘弁してください、とイスラム教に改宗した。

しかし、改宗したフリをしながらイスラム教の中に潜り込んだわけです。だから私が思うには、今回もイスラエルの新聞『ハアレツ』（*Haaretz*）がこの例（たと）えを使って報じていました。一方でG7があって、他方でSCO（エスシーオウ）上海協力機構、要するに中国とロシアとイラン他があって、これがまさにゴグとマゴグだと。

だから、チャバドの視点で見ると、ウクライナ－ロシア戦争もさらにその上から操られているということになります。

メシアを自称して世紀末予言を実現しようとしたサバタイ・ツヴィ（1626－76）

下はツヴィが逮捕されて監禁されていた時の様子を描いたもの

1962年の10月のキューバ危機のとき、東西両陣営は、全面核戦争の寸前まで行きました。その時にベンジャミン・H・フリードマン（1890-1984）のような内部告発者もいろいろと出てきた。この人たちがみんな、アメリカ社会の一部のユダヤ人たちが、そういうわけの分からないことをやって、人類の9割を殺そうとしている、と告発したのです。

そういう歴史的事実もあります。ですから、確かに「プーチン＋習近平」対「バイデン」で、そういう戦争を起こそうとしている派閥もいるのです。

ただし、そうではない人たち、こんな狂信的な連中は人類にとって不必要な、要らない連中なんだと純粋に思っているほうが過半数を占めていると思います。要するに、世紀末戦争なんてやらないし、必要ないし、そんなことを言っている人たちの支配を早く終わらせようとしている人たちのほうが過半数なのです。しかし、中にはわざと両方を、敵対しているフリをさせながら戦わせようとしている人たちがいる。

副島　今のウクライナ戦争もその構図ですか。

BF　そういうことを狙っているグループが間違いなくいるということです。

副島　そうなると、戦争はまだまだ続くということですか。

BF　続けたい人たちは確実にいる。武器商人もいますし。

私も思わず笑ってしまったのですが、2年前の2020年の9月から11月にかけて、アゼルバイジャンとアルメニアの間に紛争がありました。ナゴルノ・カラバフという係争地をめぐって両国が軍事衝突した。これはたいへんなことになるぞ、実質的にトルコ対ロシアの戦いになるじゃないかと思っていたら。ロシアは介入せず、トルコの支援を受けたアゼルバイジャンが勝ちました。聞くと、ちょうどロシアで大きな武器の国際展示会があった。それに合わせて戦わせただけだ、と今では言われています。

副島　ロシアのプーチンが、両者を調停（ミーディエイション）して、停戦（シース・ファイア）させました。でも、アルメニアが負けたのに、あまり取り分がない、とアゼルバイジャンが怒っている。カスピ海のバクー油田もあるアゼルバイジャンは、旧ソビエトの一部で、ロシア寄りのはずなのに、不愉快そうです。あのアゼルバイジャンとアルメニアの戦争の際に、今ウクライナ軍がロシアに対して使用している「バイラクタルＴＢ２」というトルコ製の強力なドローンが出てきたんですよね。

ＢＦ　その通りです。

副島　ナゴルノ・カラバフは、もともと昔からアルメニア人が住んでいた地域で、アルメニアは余裕をもってナゴルノ・カラバフ一帯を併合しようとした。もともと自分たちの土地ですから。ところが、アゼルバイジャンに簡単に勝てると思ったら、このトルコ製のドローンでアルメニアの戦車隊が撃滅されたんですよね。それと同じことが、今年ウクライナでも起きた。「バイラクタル」というのはトルコのエルドアン大統領の娘婿（じょせい）の名前だそうです。その娘婿の会社が作ったドローンだ。

ＢＦ　そう、武器商人ですよ。

私は、アメリカの元国防長官のドナルド・ラムズフェルドに取材したことがあります。彼は、２００６年に引退してからは再び完全に武器商人になった人です。その前から自分の会社を使って武器輸出で大儲けしていた。冷戦時代（コールド・ウォー）は武器商人にとってものすごいビジネスチャンスだったそうです。おいしい商売だったわけ。

当時、北朝鮮にはノドンという短距離弾道ミサイルがありました。これはソ連のスカッドミサイルを改良したものです。アメリカは長年、このスカッドミサイルや、その後の「ＲＳＤ10パイオニア」というソ連の中距離弾道ミサイルに対抗できるものを開発していた。ところが冷戦が終わってしまうと、ロシアのスカッドミサイルやＲＳＤ10パイオニアミサイルを撃ち落とす技術がせっかくあるのに、その売り先がなくなった。そこでアメリカの武器商人たちが北朝鮮にただで上げたのです。

副島　それがテポドンになったのですか。驚きですね。

ＢＦ　そうです。

副島　それは１９９８年ですね。あの発射実験の時に、パキスタンからも視察が来ていて、実験成功を見て、是非このミサイルを売ってくれと北朝鮮に言った。

BF　そうそう。私の情報では、あの発射実験は、じつはアメリカが北朝鮮に、1億ドル上げるから、発射実験で日本の上空を超えて飛ばしてくださいと頼んだという話です。それで実際に飛ばした。そして東京の外国人特派員協会で記者会見があった。私も行きました。「大変だ、北朝鮮はキチガイだ、こんな危険な国が隣にあって、これから日本はどうするんだ」と、大騒ぎでした。で、そのあと、アメリカの営業マンがやって来て、日本政府もパトリオットミサイルを購入して配備すれば大丈夫です、と。すべてこういう感じでしたよ、当時は。

副島　パトリオットミサイルでテポドンをインターセプト（迎撃）できる。迎撃ミサイルだ。うまく出来ているものですねー。ホントに。

BF　ええ。ちょっと高いけどって（笑）。それでアメリカは冷戦時代から開発していた技術を売ることができたわけ。

だから、アゼルバイジャンとアルメニアの紛争のときも、本当は武器営業用のデモンストレーションみたいなものでした。

副島　ホントに日本はいいカモですね。いつもいつもそうやってアメリカに高い兵器を買わされてきた。アメリカの大統領がやってくるたびに、だいたい一回あたり、300億ドル

（4兆円）ぐらい買わされますね。イージス・システムとかオスプレイとか。今度はトマホーク・ミサイルらしい。

アルメニアに関して、私が驚いたのは、アゼルバイジャン人はアルメニア人と同じ民族だったそうです。アルメニアは古い古い国です。あの辺り（あた）はみんなアルメニア人だった。私が英語でいろいろ読んで調べていたら、そう書いてあった。アルメニアは古いキリスト教の国で、何が違ったのかといったら、8世紀から回教徒になってしまったのがアゼルバイジャン人だと。もともとは同じ民族なのに、回教徒になってしまった。だからアルメニアからするとアゼルバイジャンは許せない。そう書いてあったのですが、それで間違いないですか。

BF　まあありうるでしょう。だって北アイルランドもそうじゃないですか。

だからこれね、正直いって遺伝（ジーン）よりも文化（カルチャー）なのですよ。文化遺伝なのです。例えばケルト民族。ブリテン島にはいまも一部ケルト語を喋るアイルランド人とか、スコットランド人がいて、文化がまったく違う。しかし、遺伝子を調べたら一緒。たぶんそれと同じで、たとえば、ユダヤ人も、基本的に生物学的遺伝というよりも、文化伝統、教育環境のほうが大きい。

世界を一番上から支配している人たちは、そういう対立をわざと、いとも簡単に利用していると言えます。日本の小学校の運動会でやる赤組、白組みたいなもので、下々（しもじも）のものを適当に赤と白に分ける。分ければ対立する。お互い敵対するように仕向ける。そして殺し合いをさせて、全体は自分たちが管理する。そういう帝王学を持っている人たちが一番上にいるわけ。敵対させて、戦わせて、操(あやつ)る。それでお金儲けもする。今回のウクライナでも、それ以前でも、すべてそう。それが基本的に欧米白人の発想の根底にある。

でも、私はそういう発想自体が誤っているというアジア的な考えがすでに世界中に広まりつつあると思います。要するに、誰かにそそのかされたような、そんな永遠の対立みたいな状況から離れて、みんなで仲良くして、そして共存する。そういう方向に世界は向かっています。

◆安倍晋三はなぜ撃たれたか

副島　フルフォードさんのその考えは正しい。極めて正しい。私も賛成します。

北朝鮮の核兵器のことですが、フルフォードさんの先ほどの独自の情報では、テポドンはアメリカが技術を与えて作らせた、という話ですが。私が見るに、どう考えても北朝鮮の核兵器技術はロシア政府が供与したものですね。

１９９１年にソ連が崩壊した後も、北朝鮮にはロシア人の核開発技術者が、40人規模で残っていますね。核物質開発と、宇宙ロケット（弾道(バリスティック)ミサイル）の開発用にそれぞれ20人ずつぐらいロシア人の優秀な技術者が残っている。プーチンはその人たちのことをすべて知っている。核兵器は、ウランやプルトニウムなどの核物質を抽出して高純度にしたものだ。それとデリバリーシステムである宇宙ロケットを作って、それに乗っけて、あとはそれに起爆装置を付ければ核兵器（ニュークレア・ウェポン）の完成です。それぞれの技術者がロシアから来ていて北朝鮮に高額の給料で残っている。ソ連にはその技術がありましたからね。

ということは、どう考えても北朝鮮の核兵器はロシア製の核兵器だと私は思います。しかし、このことを西側のジャーナリストや学者が書きません。まったく、完全に誰も書かない。知っているはずなのに。私は長年、このことが不思議です。このことを書いたらいけないのかなあ、と。こんなことを察知する私が変人なのですね。

BF 北朝鮮が脅威であるというストーリーに大きな利権がからんでるからでしょうね。

副島 ロシアにも、アメリカにも、中国にも。そうか。

BF 面白い話がありまして、冷戦が崩壊したとき、南米コロンビアの麻薬マフィアが、ソ連時代の古い潜水艦を売ってくれないかと、ロシアに打診したそうです。そうしたら「核ミサイル付きですか、それとも核抜きで？」とロシアが聞いてきたという話です（笑）。最終的にはアメリカが、これはヤバいって介入して実現しませんでしたが。１９９０年代の話です。

副島　コロンビアは麻薬の密輸の運搬に潜水艦を使っていますからね。
　フルフォードさん、私がアメリカから聞いた極秘の話なのですが、なぜ安倍晋三が殺されたのか。どうもね、三極委員会（トライラテラル・コミッション）と、ボヘミアン・グローブが決議を出して、安倍を処分せよ、と決めたそうです。それがなぜかというと、安倍が秘密で核兵器の製造を始めていたからだと。だから安倍を処分せよという決議になったと聞いている。

BF　ありうると思います。
　ちょっと話は違いますが、2006年に、プーチンとパパブッシュが、メイン州で魚釣りに行ったのです。これはMI6（エムアイシックス）筋の人間が情報源なのですが、その時、パパブッシュがプーチンに打診したのは、「これから新しい冷戦を始めましょう。ロシア 対 西側という冷戦です。お互いそれを口実に武器を増やして、戦争の装備をしましょう。その間、ロシアは中国の友達のフリをする。そして最後に中国を裏切って、みんなで一斉に中国を攻めましょう」という計画だった。

副島　ブッシュなら、そういうことを言ったでしょうね。ホントにそう言ったでしょう。ロシアを騙す上手（うま）い策略だ。ロシアと中国を引き離してケンカさせるわけだから。ただ、ロシアがそれに乗るかどうかです。

BF　乗らなかったのです。ところが、安倍晋三が、第2次政権（2012年12月から）で総理大臣に返り咲いたあとの2013年1月に、ダボスの国際フォーラムで有名な演説をしました。

演説の中身は、今の日中関係は、第1次世界大戦（WWI）前の英独関係みたいだと言った。それで「安倍は中国と戦争するつもりなのか」と、世界中の新聞に大きく取り上げられました。

その頃、実際に、中国を5つの国に分割するという計画も一部にあった。そのことは中国政府も知っていた。これは中国の政治局員レベルの人にも私が聞いて確認が取れています。

それで安倍晋三の話に戻ると、統一教会というのは、1954年に韓国で設立されたということになっているけれど。軍事的なつながりということで言えば、もっと古く、第2次世界大戦中にまで遡ると思うのです。

ドイツが敗戦する直前の1945年3月に、キール軍港から日本へ向けてナチスのUボートが出航しています。日本軍の参謀も乗船していました。ところが、ドイツが敗北してしまったために、そのUボートは日本には来なかった。一部は降伏しましたが、この戦争はまだ終わっていない、と考えるドイツや日本の参謀たちが乗った艦は、西アフリカのサントメ・プリンシペ島に向かって、そこに多数の潜水艦を隠したのです。そして、そこから南米のパラグアイに渡っていきました。ヒトラーも死なないで、パラグアイに渡ったと言われています。そのパラグアイは、戦後、世界の麻薬の物流の重要拠点になりました。

で、南米に渡ったヒトラーたちナチス系列のドイツ人が経営する牧場の隣が、統一教会が経営する牧場だったのです。そう考えると、南米と統一教会とのつながりの起源は１９４５年にまで遡れるのではないかと私は思います。

副島　パラグアイは現在、ムーニー（統一教会）の国らしいですね。大統領以下、政府閣僚たちがムーニーに加入している。これは世界中で大きな噂になっています。

ＢＦ　ええ。ストロエスネル（Alfredo Stroessner　１９１２-２００６）というドイツ系の大統領を長く務めた人がいて。

副島　そうそう。そのストロエスネルは、いったいどうやって統一教会員になったのですか。

ＢＦ　ですから、敗戦したはずのナチスドイツの残党と、日本帝国の残党が、南米でアジール（避難所）を作ったわけです。そして世界中への麻薬物流で裏金を作った。もともと覚醒剤というのは日本軍が開発したものじゃないですか。兵隊が何日間も戦えるようにと。ヒロポンとか。

だから、第２次世界大戦で負けたナチスと、中野学校を擁した日本軍の巻き返しがパラグアイで始まった。そして、戦後、世界の麻薬生産の３大中心地は、アフガニスタン、北朝鮮、そして南米ですよね。統一教会はここに絡んでいます。日本軍の残党は覚醒剤担当なんです。

副島　私の父も九州で医者だったのですが、ヒロポンをやっていた。私の母親が心配して怒っていました。ヒロポンとか覚醒剤が敗戦後の日本で広がって蔓延（まんえん）していたようです。私の父は1923（大正12）年生まれで、最後の海軍です。ポツダム少尉（しょうい）と言われて、敗戦直後に形ばかりの2階級特進（とくしん）で除隊している。そのときの日本は焼け野が原でメチャクチャだったみたいです。

　そうするとドイツ人の研究者たちをアメリカに連れて行ってやらせたMK（エムケイ）ウルトラ計画とも関係してきますね。

BF　そう。有名な話ですけど、CIAというのは、Cocaine Importing Agency「コカイン・インポーティング・エイジェンシー」の略だと言われますからね（笑）。ついでに言えば、南米はコカインですが、ヘロイン（阿片（あへん））は中国共産党に負けた国民党が、東南アジア、ミャンマーのあたりで栽培、製造を担当しています。そして、北朝鮮は覚醒剤。CIAは各域（リージョン）ごとにそれぞれ自分たちの国際ネットワークを持っています。

副島　それら世界麻薬密輸のCIAとアメリカ特殊軍（スペシャル・フォーシズ）の親分がリチャード・アーミテージだというのですね。

BF　アーミテージは実行部隊のトップでした。だがその上にパパ・ブッシュがいた。パパ・ブッシュが、アメリカに逃れてきてアメリカを乗っ取ったナチス勢力のトップでした。

そして、アーミテージは、パパ・ブッシュの奥さん、バーバラ・ブッシュの甥っ子だと言われています。そして、バーバラ・ブッシュは、アレイスター・クロウリー（Aleister Crowley 1875－1947）という悪魔崇拝者（サタニスト）の娘なんですよ。

だから、安倍晋三は、ナチスグループの統一教会グループです。中国を潰す計画に加担していた。アメリカは安倍を使って日本の軍事力をものすごく拡大させた。

2001年の「9・11」（同時多発テロ事件）というのは、要するにナチスグループのクーデターでした。あのとき出来た「愛国者法」という法律は、ナチス憲法（ヴァイマール憲法）の緊急事態条項とそっくりですからね。

副島　ペイトリオット（パトリオット）・アクトですね。

BF　そう。そして、第2次安倍政権の間（2012－2020年）、九州でヘンな地震が何度もありました。たとえば、2016年4月14日の熊本地震。自衛隊の駐屯地が震源地でした。地震の波形図が明らかに自然の地震とは違っていて、人工地震だった。私に入っている情報では、中国に攻め込むための大軍隊のための物資を、熊本で安倍が作っていた。三菱が関わっていたでしょう。安倍晋三が出た成蹊大学は三菱大学と言われていますよね。だから、安倍がダボス会議で演説をさせられてから、彼はその路線で動いていた。ところが、それに待ったをかけたのが熊本地震で、私は熊本地震を起こした勢力は、安倍に「辞めろ」と脅したのだと思います。

そう考えると、２０２０年の安倍晋三の辞任は、あのとき熊本地震を起こした勢力、だから、ナチスグループの系統ではなく、いわば良心派の仕業だったと推測できます。

だから、中国に攻め込んでいくという計画自体が最終的に中止になったのだと思います。安倍の死で。

副島　そうかー。私が20年ぐらい前から聞いていたのは、日本で核兵器を保有する秘密の計画が当時からあった。それを推進したのは、経団連会長もした、東京電力の会長をしていた平岩外四という人です。この人は愛国者で、懐の広い人だった。

当時は、経団連会長といえば、だいたい東京電力か日鉄（当時は新日鉄）のトップがなったのですよ。

だから、東京電力と、これに三菱重工が加わって、それから自衛隊の一部と、この３つが組んで、ＩＡＥＡ（国際原子力機関）にバレないように、あちこちの工場で分散して核兵器製造を進めていたというのです。ＩＡＥＡは日本の核施設や関連施設にカメラをビッシリと設置していますから、そのカメラに映らないように、技術者たちが後ろ手を背中に回して部品を次々に運んだという話まで聞きました。そうやってコンポーネント（部品。パーツとは言わない）を作って、アッセンブリー（集合、集成）しない状態に置いておくぶんには、核保有にならない。核拡散防止条約（NPT体制。Treaty on the Non-Proliferation of Nuclear Weapons）に違反しないのです。核を持っていないことになる。

私はね、安倍晋三が殺されたのは、この秘密計画を安倍がさらに先に一歩進めて、部品をアッセンブル（結合）して、実際に製造を始めたという証拠が出たからだと思います。アメリカは、それを絶対に許しません。

BF 青森県六ケ所村で表向き、プルトニウムをたくさん作っていましたね。核兵器を作るのに一番大変なのは、プルトニウムを作ることです。プルトニウムさえあれば、極端な話、はしごの上から1キログラムを落とせば爆発します。私が聞いたのは、日本には核弾頭5000発分ぐらいのプルトニウムがあると。

副島 60トンぐらい日本はプルトニウムを持っているそうです。54基ある原発からどんどん出てきますから。

BF そう。それでミサイルをたくさん作って、あとはロケットに積めばいい。JAXAもあって、日本はロッケット技術が進んでいます。これに積めば、一気に核兵器が完成します。

副島 三菱重工がデリバリーシステムのロケット開発をやっていますからね。

BF だから、私は、大きく言うと、9・11以降、第2次世界大戦で負けたファシスト勢力、ナチス勢力、黒太陽（くろたいよう）崇拝勢力の巻き返しプロジェクトが今、まさに挫折しようとしているのだと見ています。

副島　黒太陽って、ドイツ語の「シュヴァルツェ・ゾンネ」ですか。黒い太陽。

ＢＦ　そうそう。

副島　ドイツ語でSchwarze Sonneと言います。あれもトゥーレ協会（Thule-Gesellschaft）とかと関係がある。ナチスの親衛隊（ＳＳ）のトップだったハインリヒ・ヒムラーがトゥーレ協会にいた。そのことを、戦後すぐの頃、１９４５年から1年間、キッシンジャーが米軍の情報将校としてドイツに居残って、調べていたというんですよ（このときキッシンジャーは22歳）。

ＢＦ　私はイタリアに行ったとき、黒太陽崇拝グループの人たちに会ったことがあります。この人たちが、結構ぶっ飛んだことを言うんですよ。なんでも、自分たちは宇宙人から指令を受けているんだとか。銀河系、ギャラクシーの中心にブラックホールがあって、そこからガンマ線で命令を受けてるとか、結構わけの分からないことを平気で口にします。

ビンチェンゾ・マザーラ（Vincenzo Mazara）という人がこのグループで、彼はドイツ騎士団の幹部もしています。この人がそういうぶっ飛んだことを言っていました。でも、このグループはすごい力があった。これからローマ法王をクビにしますとか、ベルルスコーニ首相もクビにしますとか言っていました。その後、実際に、見事にベネディクトもベルルスコーニもクビになったんですよ。２０１０年前後の話です。

だから権限は強いみたいなのですが、わけの分からないことを信じているこの人たちが、じつは、これから地球がものすごく破滅的な状況に入っていくから、人類の一部だけを生き残らせて温存するという発想のグループです。だから、この人たちはアルゼンチンの南部に１００万ヘクタールぐらいの海沿いの土地を買ったり、あるいはニュージーランドやオーストラリアに全面核戦争から避難する場所を確保していた。

でも大きく言うと、そのようなわけの分からない世紀末思想に取り憑かれた人たちが、欧米権力の最高峰にいたのが問題の大元なんですよ。

副島　そのビンチェンゾ・マザーラという人もイタリアのＰ２（ピーツー）関係の人ですか。

ＢＦ　そうです。今も普通に連絡は取り合っています。本当は、一度、私を殺そうとしたことがある人だけど。

◆プーチンが悪魔教の人たちと戦っているのは間違いない

副島　物騒（ぶっそう）な話ですね。フルフォードさんは、ジャーナリストとして自分で知識、情報を収集して、確認しに行きますからね。いろいろ危ない目にも遭（あ）ったでしょう。

安倍晋三が殺された問題で、私が、私の友達たち、つまりアメリカのリバータリアンの人たちに聞いたところ、先ほども言ったように、三極委員会とボヘミアン・グローブが「安倍を処分せよ」と決議した、と教えてくれた。リバータリアンというのは、もう自分たちは悪いことをしない、と決断した人たちです。反過剰福祉、反税金、反官僚制で、だから反国家統制、反海外侵略、しかし軍隊は国内にあってもいいという人たちです。外国から攻めて来たら、自国内で戦う。自分の銃で戦う、という人たちです。そういうリバータリアンから聞いたところでは、首謀者は、まあキッシンジャーたちだろうと。キッシンジャーたちが決断したと。そして、その中心はＣＦＲ、外交問題評議会「カウンシル・オン・フォーリン・リレイションズ」Council on Foreign Relations だと聞きました。日本の経団連みたいな、大企業がすべて集まっている大きな組織です。

ＢＦ　デイヴィッド・ロックフェラーのシンクタンクでしたからね、結局。

副島　まあそうですね。それと三極委員会 Trilateral Commission。それもダビデ大王（デイヴィッド・ロックフェラー）が創立者です。彼は２０１７年３月に、１０１歳で亡くなりました。トランプを大統領にした翌年、「やれやれ」と死にました。このトップの人たちの中で、まだ生きているのはキッシンジャーです。だから、私はあと３年、キッシンジャーは生きると思っているのです。いま99歳です。それであと３年、２０２５年までね（そのとき１

02歳)。

そして、安倍を殺した最大の理由は、これは私の理論ですが。1979年10月にアメリカは朴正熙(パクチョンヒ)韓国大統領を殺した。朴槿恵(パククネ)のお父さんです。〝漢江(ハンガン)の奇跡〟と呼ばれるほど韓国を豊かにした大統領です。北朝鮮と対決しながらね。それで、自分はもう辞める、花道を飾る、となったときに、そのために韓国は核兵器を持つと言ったんですよ。そうしたらアメリカがKCIAを使って公然と宴席で殺しました。今回の安倍殺しも、それと同じことだろうと思います。

BF ただ私は、キッシンジャーはあくまでロックフェラーの鞄持ちという認識でいます。デイヴィッド・ロックフェラーが死んだとき、キッシンジャーが今度は俺だと言ったけれども、そこまでの力はないとも聞いています。たしかに2020年にバイデンが大統領になることは、*Foreign Affairs*「フォーリン・アフェアーズ」というCFRが出している雑誌に、すべて事前に計画の全貌が載っていた。だから影響力の大きさは認識しているつもりですが。

現在、デイヴィッド・ロックフェラー・ジュニアとかそのグループの人たちは、私の情報では、全員スイスにいます。このグループは、いま、英語でいうと「ルール・ベイスド・ワールド・オーダー(rule-based world order)という言葉を使っています。

副島 「ニュー・ワールドオーダー」の次の言葉ですか。

BF　その裏は、一所懸命、自分たちのこれまでの権力を温存しようとしているだけです。頻繁に最近のプロパガンダ・マスコミに出てくるスローガンです。この人たちこそ、国連、BIS（国際決済銀行）、世界銀行、IMF（国際通貨基金）といった国際機関をすべて私物化しているグループなのです。

副島　それらはすべてダボス会議（世界経済フォーラム）とつながっています。

BF　そうです。あのグループです。

副島　ダボス会議の議長のクラウス・シュワブは「グレート・リセット」"Great Reset"「大いなるやり直し」を唱えています。ネットでこんな写真（左ページ）が出回っています。これは本物のクラウス・シュワブの写真ですかね。

BF　はい、それ本物ですよ。

副島　狂っていますね。ゲイでLGBTQ（エルジービーティキュー）+（プラス）なんですね。ほんと悪いやつなんですね（笑）。

BF　まあちょっと普通の人の感覚とは違います。

私は、長年、いろいろダボス会議のことも調べてきました。そうしたら、結局、スイスにある「オクタゴン」というグールプの人たちと重なるんです。その大元は、歴史的にはエジプトのファラオにつながると自称している人たちです。

「グレイト・リセット」とSDGsを掲げて人類を脅すダボス会議。議長クラウス・シュワブの本当の姿

このダボス会議（WEF World Economic Forum 世界経済フォーラム）の議長クラウス・シュワブ（スイス大学教授）が、ディープステイト＝カバール（人類を最高度で支配する者たち）の表(おもて)に出ている頂点の１人だ。

陰茎(いんけい)と睾丸(こうがん)に包帯を巻いただけで、南仏のリゾート地の海岸を歩いている。こういう異常なLGBTQ＋(プラス)（性的少数派）であるのがディープステイトの特徴だ。

彼らの組織は大きく3つに分かれていて、戦争担当、金融担当、宗教担当です。ほら、よく欧米権力の秘密のオベリスク（尖塔）と言うじゃないですか。エジプトから持ち出して、1つはワシントンDC（ワシントン記念塔）、1つはロンドンのシティ（クレオパトラの針）、そしてもう1つはローマ、ヴァチカン（サン・ピエトロ広場）にあるオベリスク。で。彼らの発想は、自分たちはエジプトのファラオの正統な継承者だ、自分たちも神様なのだという発想なのです。要するに、もう誇大妄想を超えたところにいる連中なんですよ。

副島　やっぱり、彼らも悪魔教（ダイアボローイズム）なんですか。

BF　彼ら自身は、それを「悪魔教」と呼ぶのは悪口だって言います。「我々はルシファーと言う」と。要するに、この世界は、これだけ憐れなことが起きているから、この世界を作った神様は悪いやつだと。だから神様を打ち倒して、正しい神であるルシファーに置き換えるのだと。神様を倒そうとする願望を持っている誇大妄想の連中です。

副島　ゴッドではなくてルシファーだと。それはイルミナティが最初に作った思想ですよね。ルシファー Lucifer は「明けの明星」で、ヴィーナス Venus が「宵の明星」だ。どちらも金星 Venus ですよね。

BF　その通りです。

副島　イルミナティはドイツのインゴルシュタット大学で、教会法の教授だったアダム・ヴァイスハウプト（Adam Weishaupt 1748－1830）が始めました。彼は、当時、たいへん人気のあった大知識人で、ゲーテと同じぐらい人々に尊敬されていた立派な人だったそうです。ところが、それにどんどん悪名が貼り付けられていった。

BF　私も、実際にイルミナティの人たちにも会ったんですよ。そして分かったのは、イルミナティの人たちには2種類あるんですよ。1つは私がグノーシス派イルミナティと呼んでいるグループの人たち。この人たちの大元はピタゴラス学派に遡るというのです。

副島　ピタゴラス（紀元前582－紀元前496年）は、古代ギリシャの数学者ですね。エーゲ海東部のギリシャ領サモス島で、ピタゴラス学派の神秘的な教団（秘密結社）を築きました。

BF　彼らの考えでは、ミノア文明（クレタ文明）が、紀元前1600年ぐらいの火山の大爆発とそれに続く「危機の時代」の大動乱で破壊された。それがアトランティスの文明だった。この破壊をやってのけた連中は悪いやつだ。そいつを倒すんだと。まあ、簡単に言うと、そういうことみたいですね。

副島　本当に紀元前1600年頃に、地中海で大きな火山の大爆発があったようですね。今のサントリーニ島がその火口丘があった大きな島だったらしいです。

この大噴火が原因であのトロイア戦争が起きたようです。

BF　それで、そのために彼らは天才たちをスカウトする。しかし、世襲制には反対してるから、完全な能力主義です。メリトクラシー（能力主義）を信奉しています。そして、彼らはじつは自分たちピタゴラス学派が、アメリカ独立戦争も、フランス革命も、ロシア革命も起こしたというのです。

そして、もう1つのグループは、イタリアにいたP3（ピースリー）フリーメイソン。元はP2フリーメイソンです。P2フリーメイソンの人たちが、先ほど言った黒太陽崇拝のグループのことです。彼らは、自分たちは、2万6000年前から地球外生命体の指令を受けていると言います。この地球外生命体は、人類の歴史を操（あやつ）る計画を持っていて、天体の動きに合わせて地球にやってきているそうです。

そして、自分たちはローマ皇帝のカエサル（シーザー）の血筋だと主張しています。そしてこの人たちも自分たちのことを「イルミナティ」だと言うのですよ。

イルミナティと呼ばれているグループには、大きく分けるとこの2つがあるのですが、両者の原理は根本的に違う。前者は世襲を認めない能力主義（メリトクラシー）ですから、血筋がつながることはないのに対して、後者は本当に血統です。だから同じイルミナティを名乗っているけれども、まったく違うと言っていい。

ついでに言うと、ヨーロッパの王族の血統というのは、この2番目のイルミナティである、

王の紋章にワシがついているとカエサルの血統、ライオンがついているとダヴィデの血統を表す

ヨーロッパの王族の血統は、カエサル（シーザー）の男系血統と、旧約聖書に出てくる古代イスラエルのダヴィデに遡る女系血統との混交でできている。

カエサル（シーザー）の男系血統と、旧約聖書に出てくる古代イスラエルのダヴィデに遡る女系血統との混交でできている。王様の紋章にワシがついていると、それはカエサルの子孫を意味します。ライオンがついていると、ダヴィデの子孫を意味します。

さらに、先ほども話した、古代エジプトのファラオに連なると自称するオクタゴン・グループというのもまた別にある。とにかく欧米権力の最高峰のところの考え方は普通じゃない。ちょっとぶっ飛んでいるとしか言いようがない。一般の我々からすると、「非常識」なのです。

副島　それら全部をまとめてカバールといい、そいつらカバールと今、ロシアが戦い始めたという見方ではダメですか（笑）。私はフルフォードさんが分類しているそれらの歴史的支配者集団の区別がつきません。それで日本人としてもっと単純化していただきたい。

BF　そうです。ロシアがそいつらと戦っている、でいいと思う。要するに、この悪魔教の者たちの、世界を2分して戦争を起こしてやろうとか。そういう邪悪な考えではなくて、先ほども言ったように、みんなで仲良くしていく世界を目指そうと、ロシア、中国は考えている。とそう思うけれど、でも、そのためにまんまと戦争させられている、と見るならば、ロシア、中国も操られている。この見方も成り立ってしまいます。

だけど、アジア的な発想は、間違いなく、どうやったら、そういう悪魔的な考えの人たちを排除して、みんなが共存できる世界を作り上げることができるか。この方向に向いていることは間違いない。

いままで、欧米人は自分が家畜化されていることも知らず、知らないうちに屠殺(とさつ)されていた羊だった。でも、アジア的発想は、殺される羊じゃなくて、自分たちで、この捕(と)らわれて囲われている柵を出て、自分の足で牧草地めぐりを楽しむ羊(シープ)になろうよ、ということだと思うのです。でも、それは羊飼い(シェパード)にとっては、絶対認めることができないことだ。いま、このストーリーの中で世界が再編されようとしている、ということではないかと私は思うのです。

◆イギリス王室は悪いのか、悪くないのか

BF　この欧米権力の最高峰の人たちというのは本当に悪質です。冒頭で『ディープ・インパクト』の映画のワンシーンが、そのままキエフ脱出の人々の写真と偽って使われていることを紹介しました。こういうことを平気でします。インターネットができる前ならまかり通ったかもしれない。今はすぐにバレてしまうのです。

以前なら、例えば、古いところでは、アメリカがスペイン帝国と戦争した米西(べいせい)戦争（1898年）のとき、自分たちの古い船のメイン号を、ハバナ湾で自ら爆破して、スペインのせ

いにした。そして「メインを忘れるな！　スペインよ、地獄に落ちろ！」Remember the Maine！ To hell with Spain！ と叫んで開戦した。しかし70年後にアメリカは、いや実は自分たちで爆破しました、と認めた。

第1次世界大戦中の1915年には、アメリカをヨーロッパの戦線に参戦させるために、ルシタニア号というアメリカの客船を沈没させた。それが自作自演だったとアメリカ政府が認めたのは、なんと100年後の2014年です。それぐらい、以前はなかなかバレなかった。

副島　ルシタニア号は客船だったというのはウソで、武器を積んでいたそうですね。

BF　ええ。武器を積んでいた。だから戦争法では、ドイツ海軍の潜水艦に沈没させられても国際法に違反しなかった。

2001年の9・11の場合は、数年で自作自演だとバレました。私は2005年頃に気づきました。

副島　フルフォードさんが書いた『暴かれた9・11疑惑の真相』（扶桑社、2006年刊）は素晴らしい本です。大きな真実があそこに書かれた。それで日本で、みんなが真実に気づきました。

BF　ありがとうございます。

２００1年9月11日にあれが起きたときは、最初、私も「これでアフガニスタン攻撃だ、タリバン壊滅だ、特殊部隊派遣だ」と思ったのです。すぐに、あれっ？ となりました。このあとインターネット時代になって、私みたいな人が急激に増えるようになった。

副島　フルフォードさんは、真珠湾攻撃はどう思いますか。

ＢＦ　当時、アメリカ人の世論はまったく戦争反対でしたからね。

副島　アイソレイショニストがたくさんいましたね。

ＢＦ　そう。飛行機乗り（エイヴィエイター）のリンドバーグ（Charles Augustus Lindbergh １９０２－１９７４）とかね。彼は、ヨーロッパ人の戦争にアメリカ人を巻き込む必要はない、と主張して、アメリカ民衆に絶大に支持されていた。だからこのアメリカ国内の世論を一気に変えるためには、卑劣な敵にアメリカがやられるというストーリーが必要だった。間違いなく、日本軍が真珠湾に来ることは事前に分かっていた。だから、空母だけを避難させていた。

副島　そうです。あのときの日本軍の連合艦隊の動きは、ローズヴェルト大統領たちに正確に把握されていた。日本海軍が無線封止（むせんふうし）していたのはウソでした。日本海軍は、ピーチク、パーチク、呉（くれ）の県の司令部と交信していた。すべてアメリカに傍受（ぼうじゅ）（ワイヤータップ）されていた。すべては仕組まれていた。日本に先に手を出させることで、「卑劣（ひれつ）なジャップめ」と、一気にアメリカ国民はＷＷⅡ戦争（第２次大戦）にのめり込んでいった。私はハワイの真珠湾の戦艦アリゾナ沈没跡を見に行きました。あの記念館に、Infamy「神をも畏れぬ悪の所業（を日本はした）」という一語の英単語で象徴していました。ただ、あそこまで激しく日本軍が攻めてくるとローズヴェルトは思わなかったようですね。魚雷で戦艦アリゾナやオクラホマを沈没させることまでするとは。2400人ぐらいの米兵が死にました。

BF　そこは分からないけれど、明らかに……

副島　仕組まれていましたね。

BF　そうです。それで日本が戦争せざるを得ないところまで追い込んだのは確かです。

ただ、私はその後、いろいろなことを聞きました。例えば、イギリスのMI6の元長官（表の長官ではなくて、裏の長官で、こっちが本当の権限を持っています）だったマイケル・ヴァン・デミーア（Michael van De Meer）という人物から聞いたのは、第2次世界大戦の時、イギリスと日本は裏でグルだったという話です。

副島　あり得ますね。どうもそうだったようです。日本陸軍の情報部はイギリス軍諜報部と交信していましたね。

BF　例えば開戦直後の1942年2月、日本軍がシンガポールを攻めた時、イギリスは完敗しました。ほとんど戦わずしてイギリスは負けた。

そのマイケル・ヴァン・デミーアが言うには、じつはイギリスと日本は、裏で戦後の東アジア支配について合意していた。その中身は、フィリピンを言わば「西日本(ウエスト・ジャパン)」という国家にしようというものだった。そのために、裏で英国王室と天皇家が協力していた。ところが、そこが分からないアメリカが、「キル・ザ・ジャップス」と言って日本を叩き潰した。

その人から山下将軍の話を聞いたのです。

副島　山下奉文(ともゆき)大将ですね。「マレーの虎」と言われた。

BF　ええ。山下はBC級戦犯として1946年に現地で処刑されたことになっています。しかし、実際は死なずに、戦後もずっとフィリピンに住んでいたというのです。高い壁に囲まれた大きな屋敷に暮らしていた、と。要は死んだことにして、あとで担(かつ)ぎ上げることも考えていたみたいです。だけど、結局、アメリカの思惑が優先されて、イギリスと日本の思惑は通らなかった、と聞いています。ロックフェラーグループが主導権をとりましたから。

副島　大きくはチャーチル英首相が、どうしてもアメリカ軍をヨーロッパ戦線に参戦させるために、日本軍を太平洋で戦争に入(はい)らせたわけですからね。

BF　そうです。

副島　だから私の今の結論は、イギリスとアメリカが悪いと。とりわけイギリスが悪い。ウクライナ戦争も同じだ。私は一番悪いのはイギリスだと思っています。ウクライナのゼレンスキーの横にいて直接操(あやつ)って「次はこれをやれ」と命令を次々に出しているのは、イギリスの特殊部隊のＳＡＳ（特殊空挺部隊）です。フランス、ドイツは、ウォー・ファティーグ（war fatigue）、もう戦争なんてやりたくねえよ、になっていますから。〝Zelensky support fatigue〟ゼレンスキー・サポート・ファティーグ「ゼレンスキー支援疲れ」ですよ。イギリスが一番強硬ですよね、ＭＩ６が。どう思いますか。

BF　水面下では、ＭＩ６がいまロシアと和平交渉しています。

副島　ああ、やっぱりそうですか。

BF　私はＭＩ６の人間とは毎週連絡を取り合っています。だから確かです。水面下ではイギリスはロシアとの和平の方向へ向かっています。彼らの思惑では、ＥＵの代わりに、ロシアが入った「ヨーロッパ大国」を作ったほうがいい、という考えです。ＥＵの代わりに、イギリスも含め46か国が加盟している「欧州評議会」、これにロシアを加えて、ＥＵの代わりにすればいい、とＭＩ６は考えているみたいです。

　ですから、私の考えでは、今回のウクライナ戦争で、やっぱり一番おかしいのは先ほどから私が言っているチャバドなどのグループですね。どうしてもハザール王国を復活させたい。そしてそれを自分たちの「ユダヤ」王国にする。そのための世紀末戦争をいまだに諦めていないグループです。だから、私はイギリスではないと思っています。

副島　でも、まあ今のキエフの政権が生き残ったら。モスクワまでたった１０００キログらいですから。短距離ミサイルが届きますから。ロシアとしては絶対許さないでしょう。

BF　もちろんそうです。

副島　ウクライナの〝ノン・ミリタライゼーション（非軍事化）〟とか、〝ノン・ナチファイゼーション（非ナチ化）〟をロシアは絶対やりますね。この2つの点では非和解的です。

BF　今、ロシアの空爆のせいで、キエフの電気などのインフラがすべて止まったとか騒いでいます。例えばアメリカがイラクを攻撃したとき、アメリカは、まずすべての電力施設を爆破しました。それをロシアは、今までウクライナで10か月間、遠慮してやらなかった。

副島　このことはあまり報道しませんね。

BF　どうもロシアは本気で戦っていません。総動員令が出ていませんから。

副島　総動員令は、英語では full mobilization「フル・モービライゼイション」ですか。

BF　そうです。その総動員令をロシアは出していません。

あと、あまり知られていませんが、いまだにウクライナ経由でヨーロッパにガスが行っている。だから、ロシアからすれば、正式に戦争をしていない。あくまでも警察的な動きで、国内の取り締まりをしています、ということです。正式の戦争には至っていない。そういう意味ではちょっとヘン。この動きは不自然な点が多すぎる気がします。ゼレンスキーの映像もどう見てもCGが多いですし。本当はゼレンスキーはキエフにはいないという在キエフ・

フランス大使の証言もあります。なんか全体にうさんくさいですよ。

副島　私は、戦争の開始の前からゼレンスキーの周りに70人ぐらいのMI6がいたと見ています。

MI6でありながらSAS（特殊空挺部隊 Special Air Service）がついていて、すべてそこが指揮していると思っている。そして、毎回、ゼレンスキーに向かって「これをやれ。次はこれをやれ」と命令している。その周りにウクライナ国家警察とか、ネオナチみたいな連中がいる。だからウクライナ戦争の司令官は、私の見立てでは、ロンドンのMI6の長官だ。

BF　ロンドンのMI6から言わせると、ゼレンスキーの周りにいるのはDVD（Deutscher Verteidigungsdienst）というドイツのナチスのグループです。イギリスの政府の中に、このグループの工作員が結構入り込んでいる。サイモン・ケースというイギリス官僚組織のトップも、そのドイツ人のグループの息のかかった人物だと言われています。これがMI6の認識で、このDVDの人たちが英国政府の中にも潜り込んでいる。だから、MI6はロシア、プーチンと同じことを言っていることになります。つまり問題はナチスなのです。

ナチスが9・11でアメリカを乗っ取った。そして今もバイデン政権の裏方です。さらにその奥を調べると、どうしてもチャバドに至る。何度も言いますが、世紀末戦争を起こして人類を家畜化しようと計画しているグループなのです。今回のパンデミック騒動もそうじゃないですか。

ちょうど2年前、私は関西で裏世界関係者と会っていました。その時、彼が、「南海トラフ地震を起こす計画が中止になって、武漢(ぶかん)風邪に変更になった」と言っていました。新型コロナパンデミックが起きる前に、そう言っていたのですよ。

つまり、人工世紀末騒動を起こしてでも、世界を大混乱に陥れてやると本気で考えている連中がいる。ヨハネの黙示録に「アポカリプスの４騎士」Four Horsemen of the Apocalypse(アポカリプス)というのが出てきます。それぞれ、疫病、飢餓、戦争、支配と役割分担されています。この４つの力を合わせて、人工世紀末を起こそうとしている。

◆キッシンジャーは「世界皇帝代理」なのか

副島　しつこいようですが、私がフルフォードさんに本気でお聞きしたいのは、イギリスのＭＩ６長官がゼレンスキーを操っているはずです。なぜならＳＡＳ（特殊空挺(くうてい)部隊）がゼレンスキーの周りに70人いますからね、最初から。

ＢＦ　ゼレンスキーの周りにいるのは、イギリスＭＩ６ではなく、チャバドというユダヤ・カルトです。

副島　だからそれがＭＩ６とＳＡＳの中にいなければおかしいんですよ。

ＢＦ　私は今も直接ＭＩ６の人間と話しているけど、あの人たちではない。これはいわゆる私が言うところのユダヤマフィア、「ハザールマフィア」が周囲にいる、というのがＭＩ６の人間が言っていることです。世界で１６００万人いるユダヤ人のうち、１００万人ぐらいがこのチャバドのメンバーです。それで彼らは自分たちの手で人工世紀末を起こそうとしている。そして「ユダヤ」人が世界を制覇して、自分たち以外の民族をすべて自分たちの家畜にする長期計画を進めているグループなんですよ。

副島　フルフォードさんのそのご意見はそれで尊重しますが、それを言い出すと、私自身も、ディープステイトとカバールという言葉を使います。使う以上はその存在を肯定している。ただそれ以上の彼らの存在の根拠の問題になった時、「いったい誰が」という問題をもう言わないわけにはいかない。誰と誰が本当に巨大な共同謀議（きょうどうぼうぎ）（conspiracy コンスピラシー）をやっているのか。フルフォードさんにこのことだけは分かってもらいたいのは、日本国の安倍晋三をいったい誰がこれまでずっと操っていたかという問題です。この問題で、ぐだぐだ変なことを言う人がいたら、全部間違い。ひとこと。マイケル・グリーン。こいつが安倍を使って日本を操っていた。

ＢＦ　彼はロスチャイルドの弁護士です。

副島　ところが、マイケル・グリーンはすでに追放された。いなくなった。今年（2022年）の5月に。オーストラリアのシドニー大学の政治研究所の所長になって行ってしまった。こいつは28年間、日本にいて悪いことをやり尽くしました。これは事実です。

BF　ではジャパン・ハンドラーズのトップは、今は誰ですか、カート・キャンベルですか。デイヴィッド・アトキンソンですか。

副島　デイヴィッド・アトキンソンなんかは、ただの元銀行屋、ゴールドマン・サックスのアナリストだ。日本の金融バブル崩壊を引き起こした。「日本の大銀行は100兆円の不良債権（バッド・ローン）を抱えているから次々に破綻（はたん）させるべきだ」と。そして、アメリカが乗っ取っていった。アトキンソンはその尖兵（せんぺい）だ。今は、小西建設工業と組んで、日本の古家（ふるや）の移築業をやっているふりをして、「さらに日本の100万社の、活動していない中小企業を消滅（廃業）させるべきだ」と煽動している。ワルの竹中平蔵と組んでいる。

カート・キャンベルは、まだ現役の国務省の「インド太平洋調整官（モデレイター）」だ。しかしキャンベルは失敗している。

今のジャパン・ハンドラーズのトップは今日本にいません。いないけれども、一人挙げるとすれば、私がアメリカから聞いた話では、昔、日本のアメリカ大使館に来ていた男で、〝世界皇帝〟だったデイヴィッド・ロックフェラーの通訳までやって、アメリカ公使をやって、大使にはならなかったケント・カルダーです。ケント・カルダーが、マイケル・グリーンのことを大嫌いだった。

安倍を処分せよ、とアメリカで最高度で決定したのは、ヘンリー・キッシンジャーと、外交問題評議会（CFR）の会長のリチャード・ハース（Richard Haass）、それと弟子のメーガン・オサリヴァン（Meghan O'Sullivan）という女性です。CFRがどれぐらい力を持っているか、フルフォードさんは分かるでしょう。リチャード・ハースは、CFRの会長をもう19年もやっている。

BF　CFRは確かにそうですが、キッシンジャーはデイヴィッド・ロックフェラーの鞄持ちだったというのが私の認識です。

副島　ですから、今はキッシンジャーが世界皇帝〝代理〟だと考えないと、理屈が合わない。もちろん、彼にも敵はいっぱいいます、アメリカ国内に。マデレーン・オルブライト派の教え子である、ヒラリー派と戦い。カバールとの戦いをキッシンジャーは本気でやっています。前述したカート・キャンベルもキッシンジャーの教え子です。

キッシンジャーが安倍処分を決めて、その弟子のリチャード・ハースが動いた。CIAの破壊工作本部（operation center）の「特別行動センター（Special Activities Center, SAC）」。さらにその中に「ブラック・オプ（black ops）」というのが有るでしょう。そこが、本当に

安倍処分を最高度で決定した３人

ヘンリー・キッシンジャー（99歳）

ハーバード大学ケネディ・スクール教授メーガン・オサリヴァン（53歳）

CFR（外交問題評議会）会長リチャード・ハース（71歳）

2022年７月８日、午前11時31分、安倍晋三元首相の銃撃の瞬間（https://twitter.com/spd6JqgruGQ2qeg/status/1545406301924392960?cxt=HHwWglDUvf-1sflqAAAA）

世界各国の要人を必要に応じて、上からの命令で暗殺（アサシネイション）する。用意周到に、恐ろしい策略で存在消滅させる。安倍の子分たちは、一体、自分たちは、誰を恨み、憎み、誰を激しく非難したらいいのか分からない。このような奇妙で複雑な仕掛けにして抹殺します。彼らSACの下にいる日本人の警察官を使って、殺せと殺害命令を出した。それでね、このリチャード・ハースはもともとネオコンですからね。

BF　知っています。それで、メーガン・オサリヴァンという女性は何者ですか。初めて見ます。

副島　この女はハーヴァード大学の現役の教授です。このメーガン・オサリヴァンはまだ53歳です。リチャード・ハースの教え子です。私が英語で経歴を読んだ時にびっくりしたのは、今71歳のリチャード・ハースは、国務省のバリバリである超エリート・コースの政策企画部の部長（ポリシー・プランニング・エイジェンシー）をやっていた。リチャード・ハース（71歳）は、ネオコン第2世代だ。ハースは、ネオコン（neo-conservatives 新保守主義）の中に、ムーニー（統一教会）がどんどん潜り込んで来て、ネオコンの思想を変質させていることに怒っていた。この理由もあって、日本の統一教会勢力の代表である安倍晋三の処分に動いた。オサリヴァンのほうは、ハースの下（スタッフ）にいたあと、ハーヴァード大学のケネディ行政スクール、いわゆる〝Kスクール〟で、経歴（プロウファイル）に Professor of the

Practice と書いてあった。Professor of the Practice of International Affairs と書いてあってびっくりしました。「政策立案」ではない。その次の、その立案され決定された事項を、実際に実行するんですよ。practitioner（プラクティショナー） なんです。恐ろしい部署なのです。「プロフェッサー・オブ・プラクティス」すなわち「（立案、決定された）政策を実行に移す」。そのためのハーヴァード大学の教授です。ここが安倍を殺す決断をし、かつ実行したのですよ。その前の根回しもしたんです。どことと言ったら。まず秘密結社のボヘミアン・グローブ Bohemian Grove とだそうです。そしてこの女は、米欧日三極員会 Trilateral Commission「トライラテラル・コミッション」のノースアメリカの現職のチェアマン（議長）だ。

このメーガン・オサリヴァン女史は、ネオコン思想の創業者のひとりで、鬼のような女学者のジーン・カークパトリックの再来、後継者と言われています。カークパトリックはレーガン政権の米国連大使をしました。彼女がネオコン第1世代です。現に、ハーヴァード大学の中でジーン・カークパトリック記念講座の教授です。おっそろしい猛女（もうじょ）たちです。こういう美女が本当に恐ろしい。安倍は食べられちゃいました。

BF　では、すべてはデイヴィッド・ロックフェラー・ジュニアですね、そうすると。

副島　いや。あのデイヴィッド・ロックフェラー・ジュニアはアホですよ。何の力もない。

BF　では、その上はいったい誰ですか。

副島　それは私も分からない。分からないから言いません。敢（あ）えて言えば、それがまさしくカバール Cabal ですよ。

ＢＦ　ヒラリー・クリントンもロックフェラー家なのですよ。

副島　あのね、それ言い出すと、「いったい誰が実行したか」という話からどんどん遠ざかってゆきます。分からないことは分からないと言ったほうがいい。

ＢＦ　でも目に見える人で一番上は。

副島　だから最高決断者はキッシンジャーですよ。その上の話を、今は私はしません。

ＢＦ　でも、繰り返しますが、私が聞いているのは、キッシンジャーはずっとデイヴィッド・ロックフェラーの鞄（かばん）持ちで、デイヴィッド・ロックフェラーにいじめられていて、みんなの前で何度も侮辱された、と。

副島　それは分かりますよ。若い頃の40歳代までのキッシンジャーは確かにそうだったでしょう（現在99歳）。

ＢＦ　それでデイヴィッド・ロックフェラーはキッシンジャーのことをいじめていたと聞いていますけど。

副島　うーん。内部の人間関係の精密なところまでは私は知りません。しかし、デイヴィッドは、死ぬ前（２０１７年3月20日。１０１歳）まで、「ハイ（おい）、ヘンリー」と言って、キッシンジャーに電話を掛けていました。完全に、親分と子分の関係でした。仲は死ぬまで良かったはずです。

フルフォードさん、誰が一体、キッシンジャーをハーヴァード大学で28歳の時（大学院生時代）から育てたか知っていますか？　私は知っています。それはロックフェラー2世の次男の、ネルソン・ロックフェラーですよ。フォード政権（1974年8月−1977年1月）の副大統領でした。デイヴィッドは5男坊です。4男坊はウィンスロップで、その息子で隠し子がビル・クリントン。私は調べに行ったんですよ、テキサス州まで。2世の長男のジョン・デイヴィソン・ロックフェラー3世は人の良い優柔不断な男だった。とても世界管理はムリな人だった。それで弟のネルソンが兄貴の3世をよくイジめた。それに対して、5男坊のデイヴィッドが「お兄ちゃん（長兄）をイジメるな」とネルソンに喰ってかかった。デイヴィッドの自伝『ロックフェラー回顧録』（新潮社、2007年刊）に書いてあります。

この次男の粗暴なネルソン（世界No2の石油資本シェブロン・テキサコのオーナーだった）がハーヴァード大学の大学院生で優秀だったキッシンジャーを見込んだ。「お前は優秀だ、俺のところに来い」といって。それでキッシンジャーは32歳でハーヴァード大の助教授になった。34歳の時、2歳年上の日本の中曾根康弘（議員1年生）をハーヴァード大の夏期講習に呼んで、育てた。「お前を3代あとの日本の首相にする」と。こういう流れになっています。

BF　もう1人、3男坊がローレンス・ロックフェラーですね。ローレンスはＵＦＯ担当。ローレンスの隠し子がジョン・ポデスタ。顔を見れば一目瞭然。そっくり。

副島　そうですか。なるほど。そういう説がありますね。ポデスタは、ヒラリーの大統領選の選挙対策委員長をやっていましたね。２０１６年11月に、「ヒラリーの敗北を認める」とジョン・ポデスタが白旗を揚げました。

3男坊のローレンスは、確かグラマン社とノースロップ社を持ってたんじゃないですか。だから宇宙計画系ですね。

BF　私がヒラリー・クリントンをロックフェラー家だと言ったのは、ヒラリーの本当の父親はデイヴィッド・ロックフェラー本人だと言われているからです。つまり、ビル・クリントンの父親がウィンスロップですから、クリントン夫妻はいとこ同士の結婚ということになります。

副島　まあ、それはそれとして……。私はこの40年間、ずっとアメリカ政治研究をやって来て、日本人から見て、アメリカの動きを一所懸命探って本を書いてきました。私にアメリカの最新の情報をくれるのは、アメリカに住んでいるリバータリアンの人たちです。

この人たちは、ものすごく優れたアメリカ人です。もともとニューヨーク・タイムズの記者とかワシントン・ポストの記者とかしていたような人たちだけれど。悪いことしたくないからもう辞めた、という人たち。こんなに汚れて危険なことに自分はもう加担したくないし、殺されたくもないと。それで二流、三流の新聞社なんかに移ったような人たちです。私はその人たちと出会って、いろいろと真実を教えてもらった。本当のことを。「いいか、副島。本当はこうなんだ」と言って彼らは私に教えてくれました。

それで、今回も安倍処分を決定したのは誰かという情報として、キッシンジャー、リチャード・ハース、メーガン・オサリヴァンの3人を実名ではっきりと名指しして来たのです。しかも、これは決して機密情報ではないと。ワシントンやニューヨークの記者たちはみんな知っている。本当のアメリカの国家機密情報だったら、そのことを日本で書いた私は今ごろ殺されて（消されて）います。だから、私はまだ殺されていません。

別にフルフォードさんに私の考えや情報・知識を押しつけるつもりはありません。

BF　でもこれは貴重な情報ですね。メーガン・オサリヴァンのことは私は初耳でした。

副島　このことは、日本国内では私しか知らないことです。だからといって、私が威張っても仕方ないのですが。最初は、私も殺されるかなって思ったので公表しなかった。でも、大丈夫だと思ったので、私の信頼できる身近の人たち数百人だけに書いて送った。それで、その次に金融本（『金融暴落は続く。今こそ金を買いなさい』祥伝社、２０２2年10月刊）の最後の章に書きました。どうして大丈夫だ、と判断したかと言うと、簡単なことです。日本では、誰も信じない。何のことか理解できない。日本人にとっては above the understanding で。もうとても、考えつきもしない理解の外側ですから、分からない。

BF そうか。あまりにも表のマスコミと違いすぎて、みんな消化できないから、大丈夫ということになるんですね。私も自分の発信した情報をきちんと消化してもらえないという経験をしているので、よく分かります。

副島 私は、自分がまず考え込んで、そして納得して、「おそらくこれが大きな真実」だと判断したら、それをとことん信じるヘンな人間です。そうなったら、もう私の信念（ビリーフ）は揺らぎません。いい加減な判断をして、ウソ（虚偽）を撒（ま）き散（ち）らして、それが満天下に明らかになったら、痛い思いするのは自分だからね。自分なりにいろいろクロスチェック、三重（トリプル）チェックを掛けていくんです。イグザミネーション（試験）しながら、知識情報を立体的に組み立てて、それを積み上げていく。インテレクチュアルズ intellectuals 知識人（ドイツ語で Intellektuellen、ロシア語では Intelligentsia インテリゲンチャ）という人間の種類は、生来、そういうものですよね。

BF そして、それが副島さんの新しい判断になるわけですね。

副島 そうです。そのとおりです。メーガン・オサリヴァンは「プラクティショナー」ですからね。あと、executor 。執行する人とも書いてあった。

◆エリザベス2世の死

ＢＦ　いずれにしても。いま世界は革命の予兆に満ちてきたと私は思います。

　９月８日にエリザベス女王の死亡が発表されました。私は10年ぐらい前に英国大使館に行って、エリザベス女王宛てに手紙を送りました。そうしたら返事が来て、それ以後、女王と文通していました。

　エリザベス女王は、三百人委員会（The Committee of 300）のトップでもありました。エリザベス女王の派閥、ヨーロッパ王族を中心とした派閥は、人類の９割を殺す計画に反対していた。西暦２０００年のアメリカの大統領選挙で、アル・ゴア（民主党）がすったもんだの末、負けましたよね。あのとき、息子ブッシュ（共和党）が勝ちました。ブッシュはいわゆるテロ戦争（肯定）派です。それに対してエリザベス女王の派閥は地球温暖化（グローバル・ウォーミング）（反対）派です。つまり、森林伐採を止めて、二酸化炭素に税金をかけて、発展途上国には先進国の二酸化炭素税から取り分を分け与えて環境保全をすればいい。そうすれば、テロ戦争（肯定）派が主張するように人類の９割を殺さなくても人類を維持できる、という考え方でした。だから、私の見方では、エリザベス女王の派閥は、前述したハザールマフィアの恐ろしい計画に反対していた。２０１８年にパパ・ブッシュやその妻のバーバラ・ブッシュらの死亡が発表されました。彼らを殺したのは、エリザベス女王の派閥のグループです。

今回、エリザベス女王の死亡が発表されて、一部では、本当は数年前に死んでいたんじゃないのか、という説もあります。いずれにしても、私に言わせると、女王の派閥は比較的良心派です。エリザベス女王が、アジアのグループと交渉して、中国の一帯一路を可能にさせました。だから、その意味ではいい役割も果たした。

ただし、チャールズ皇太子がダイアナ妃を殺したのは間違いない。エリザベス女王自身、フェニキア、カルタゴの宗教の末裔で、子供を生贄（いけにえ）にする儀式に参加したことがあることも分かっています。

しかし、とにかく、このタイミングで死亡が発表されたことには、ちょっとした意味があると私は思っています。

ちょうど、その少し前の9月3日にマルタ騎士団（Knights（ナイツ） of Malta）の組織改革があって、マルタ騎士団のそれまでの幹部たちが全員クビになりました。

現在、マルタ騎士団の次のグランドマスター（騎士団における最高位の指導者）が決まるまでの間、臨時指導部が設置されている。マルタ騎士団は地中海にあって、実質的にアメリカ海軍の指令部です。それがみんなクビになったということには必ず意味があります。

　その前の８月29日、30日に、ローマ教会がフランシスコ教皇の就任（２０１３年）以来、約９年半ぶりに世界各地のすべての枢機卿（カーディナル）をヴァチカンに集結させ、極秘会議を開いた。さらにその前の８月22日に「ヴァチカン銀行以外の金融機関に任せている委託取引を、９月30日までにすべて停止して資金を回収し、今後はローマ教会の資金管理はローマ教会が独自で行う」と公式発表もありました。このことの意味は、ヴァチカン銀行と外部金融機関との関係がすべて断ち切られたということです。

　すべてこのタイミングなのです。そう考えると、長らくロシアの実質支配者として君臨していたゴルバチョフの死が、８月30日だったことも偶然とは思えなくなります。

　マルタ騎士団、ヴァチカン銀行、エリザベス女王の死亡、とすべて同じ時期に起きている。これは絶対、近く大きな異変があると私は直感します。

第2章

崩壊する旧支配体制の裏に絡む カルト宗教と秘密結社

◆キッシンジャーの来日

BF 先日、副島さんに教えていただいた、安倍殺しと統一教会叩きのアメリカでの本当の黒幕、ヘンリー・キッシンジャーと、外交問題評議会のトップ、リチャード・ハース（Richard Haas）のこと。それからハーヴァード・ケネディ・スクールの教授でハースの弟子のメーガン・オサリヴァン（Megan O'Sullivan）の名前を、私がそこに間違いなく絡んでいると睨(にら)んでいるデイヴィッド・ロックフェラー・ジュニア（David Rockefeller Jr.）の名も加えて、中国の結社のある人物へのメールに書いて送りました。

するとすぐ、そのメールの相手から、文字化けしたメールになっていたと返事があって、「何かメールのやり取りを邪魔する操作が行われたのかもしれません」と書かれていた。そしてその直後に、今度はMI6筋の人間から妙なメールが来た。極小フォントで書かれているから何が書いてあるのか分からなかった。ところが、これをワードにコピーペーストして拡大してみると、「注意してください、あなたは殺される可能性があります」と書かれていました。

この2つのメールが意味することは、日本国内の個人メールのやり取りが、明らかにロッ

来日した車椅子姿のヘンリー・キッシンジャー

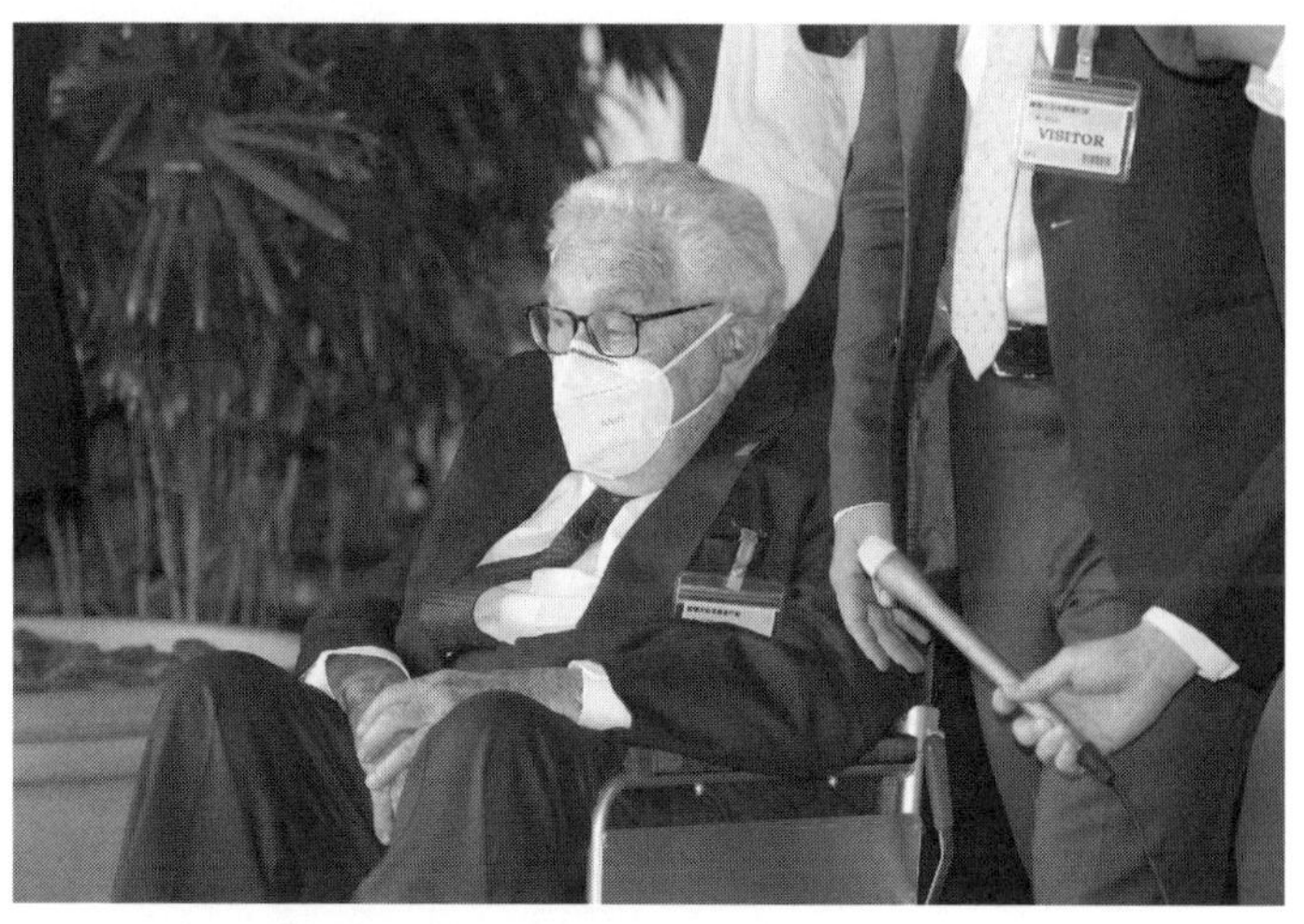

2022年10月26日、来日したヘンリー・キッシンジャーは岸田文雄首相と総理大臣官邸で会談した。

（写真提供：朝日新聞社／時事通信フォト）

クフェラーの息のかかった何者かに閲覧されている、ということです。

私は安倍晋三が好きだったわけではないけれど、あんなふうに一国の元首相を殺したりするのは、昔からキッシンジャーの得意とするところでした。

このことを私は、英語の有料メルマガにも書きました。そうしたら、リチャード・ハースが外交問題評議会の会長を突然、辞任したのです。

副島 へー。ああそうですか。

BF おそらくメーガン・オサリヴァンもどこかへいなくなっていますよ。キッシンジャーも狙われたみたいですよ。

副島 フルフォードさんね。10月20日に、ヘンリー・キッシンジャーが、1時間だけ東京に立ち寄って岸田と会談した。そしてその後、おそらく北京へ飛んで習近平と会っただろう。そのあとの情報は私に入っていません。来日した証拠の写真と短い記事は時事通信他が出しました。岸田と何を話したかは分からない。ただ、岸田の横に秋葉剛男という前の外務次官で、現在、国家安全保障局長兼内閣特別顧問の肩書きの人がついていた。

この秋葉という人は立派な男で、自民党なんかには頭も下げないらしい。気骨のある日本官僚の代表です。この秋葉がおそらく連絡係り、リエゾン・オフィサーだと思う。おそらく、マイケル・グリーンを3月に追い出したときの日本側の実務の最高責任者は秋葉剛男です。

秋葉は、中国の北京の郊外の天津で、楊潔篪と7時間話し込んだ（8月17日）。この楊潔篪がこの間の第20回共産党大会（10月16日〜22日）で引退したので、今度は王毅が外交部長（外相）のまま外交のトップになりました。この2人は仲が悪かったと言われています。これからは王毅と秋葉が話し込むことになります。王毅外相は、戦狼外交 wolf warrior diplomacy「ウルフ・ウォリアー・ディプロマシー」と言って、中国の新しい外交態度です。「もう、中国は遠慮したり、我慢したりしない。言うべきをガンガン言う」という戦闘モードの対外戦略です。その代表に王毅が就きました。

キッシンジャーが何を習近平に言いに行ったか分からないのですが、おそらく、「核兵器をプーチンに撃たせるな」という説得と、「習近平よ、お前はプーチンとどの程度付き合う気なんだ」とかを聞きに行ったのだと思いますが、どう思いますか。

BF　私の情報源、習近平に近い人物の情報源の話では、中国にオファーされたのは、中国にASEAN（東南アジア諸国連合）、韓国、日本、オーストラリア、ニュージーランドをすべてあげる。それで、いわゆるアジア共和国を作ってください、です。このオファーは、これが初めてではなく前からあるのですが、そのオファー（申し出）がされたと聞いています。

その代わり、お金を貸してください、ということです。

副島　誰がそう言ったのですか。誰がそういう仕組み、枠組みを作ったのですか。

BF　仕組みは、アメリカの裏にいる、ロックフェラーやロスチャイルドの、今スイスにいる人たちがそう言っているわけです。中国からお金をもらい続けるために。

副島　中国はそれにOKを出したのですか。

BF　出しているグループと。そういう話は信用ならない、そういうことを言ってくる人たちは信用ならない、と考えるグループに分かれているんですよ。

副島　キッシンジャーはどっちのほうに入るんですか。

BF　いわゆる rule-based world order「ルールベイスド・ワールド・オーダー」。今まで権限をずっと握ってきた側にいた人たちが、これからも生き残るために、国連、IMF、世界銀行……この体制を温存するために、中国にいろいろなものを、自分たちがあげる権限のないものまであげようとするわけです。

副島　でも、IMFと世界銀行はもうすぐ壊れますよ。

BF　そう。だから、それが壊れないようにするために中国にお願いしているのです。おそらく今回のG20（11月15〜16日）での交渉もそれがメインだった。もうアメリカの貿易はすべて止まっている。通商が止まって、石油も来ない。アメリカはディーゼルオイル（軽油）の備蓄が、あと2週間か3週間分しかない。そうすると、経済がすべてストップします。

副島　そうすると、来年の1月ぐらいからアメリカは金融経済混乱が起きるということですね。

BF　そうです。このままでは今年の冬を越せません。これは推測も入っていますが、今回、間違いなく彼らがオファーしたのは、バイデンが死んだことにして、カマラ・ハリスを大統領にする。そして、カマラ・ハリスは今後は中国から命令を受ける、というオファーをしたと思います。これは2020年の米大統領選挙での選挙不正（fraudulent election）で、バイデンが大統領になったときからあったシナリオです。だから、自分たちが生き残るためには何でもかんでも中国にあげる。要するに、アジア、ASEANだけではなくて、アメリカもあげますよ、と言っている。そんなとんでもないこと。自分たちがあげる権利のないものまであげようとしているのです。

副島　どうなりますかね。まあ、どうせすぐ来年になりますから。

BF　もう1つ私が聞いているのは、キッシンジャーは来日して岸田と会った後、京都の有名なお茶屋に車椅子で芸妓に会いに行って、そこで毒を盛られたと聞いています。すぐ死ぬ毒でなくて、効き目が出るまで時間がかかる毒だと聞いています。

副島　キッシンジャーが？　京都に行ったとすれば「一力茶屋」です。でも、そんな悠長な遊びなんかやっている暇はないと思いますよ。キッシンジャーの親分だったディヴィッド・ロックフェラーが京都の料亭に行ったときは、「デビはん、デビはん」と芸者（芸妓）

たちに呼ばれていた。

BF　とにかく、キッシンジャーは岸田を脅しに来たと私は聞いています。2つの情報源が同じことを言っています。

副島　私は、習近平に会うのが一番の目的だったと見ている。

BF　おそらく、ロックフェラー家のために何か脅しに来たんだと思います。

　ちょうどその同じタイミングで、私のところに指定暴力団の幹部から電話がかかってきて、次の日銀総裁に会わせるから来てくれ、と言うのです。私はいくらなんでも、次の日銀総裁をヤクザが紹介するなんて話は怪しすぎると思って、断わりました。これはキッシンジャーが張った罠じゃないかと思って。つまり、私はこれまでもキッシンジャーに命を狙われたこともあるので、どうしてもキッシンジャーを好きになれないのです。

副島　私だってキッシンジャーのことは昔は嫌いでした。デイヴィッド・ロックフェラーと、子分のキッシンジャーがずっと作ってきた「ニュー・ワールドオーダー」NWO（エヌダブリュオウ）が大嫌いで、その勉強を20～30年前からして来ましたから。でも、大嫌いだったのですが。キッシンジャーが2016年にトランプを応援しちゃったでしょう。トランプを応援して、「お前を大統領にする。ヒラリーを勝たせるわけにはゆかない。あいつらは世界戦争を始める気だ」とキッシンジャーと〝世界皇帝〟のデイヴィッド（ダビデ大王）が決断して、2016年11

月6日にトランプが勝った。

私はトランプが当選する前に『トランプ大統領とアメリカの真実』（ビジネス社）という本を書いて2016年6月に出しました。その年の4月に、トランプがニューヨークのアッパーイーストのキッシンジャーの家に呼ばれて訪問した。この時にピンと来て、予言して本にして、そして当てました。大統領選の半年前です。キッシンジャーがトランプに電話して、「ドナルド、ちょっとウチに来てくれ。話がある」と。その時、娘婿のクシュナーがトランプに同行した。その写真も残っています。キッシンジャーが、「ヒラリーを勝たせるわけにはいかないいんだ」と言った瞬間から、私の中でキッシンジャーがいい人になっちゃったんです。

ロックフェラーとキッシンジャーの2人がね。だから、世界を滅ぼしちゃいけないんだと、デイヴィッド・ロックフェラーが考えを変えて、その1年後、101歳で死にました。デイヴィッドはきっと安心して死んでいっただろう。だから、私の中で、まだ大きくは判断がつかないのです。悪者なのか、いい人なのか。

BF キッシンジャーは以前も殺されそうになったことがあります。そろそろ、あの人、引退したほうがいいですよ。もう99歳でしょう。悪いこともいっぱいした。田中角栄を抹殺したのもキッシンジャーですし。

副島　そうですね。角栄を1974年から、まず文藝春秋社を使い、そして1976年7月27日にロッキード事件で逮捕して、角栄を痛めつけた。ところが、このことはあまり知られていませんが、後年、時間が経ってからキッシンジャーは、寝たきりになった角栄の目白台の家へ、謝りに行っています。悪かった、と。

　ただ、南米とかで悪いことをいっぱいしましたね。チリの左翼のアジェンデ政権を軍隊を動かして打倒した（1973年9月11日）。それから、1979年10月26日に、韓国大統領の朴正熙（パク・チョンヒ）を射殺させた。KCIAの長官、金載圭が、たった4人の宴席で、まっすぐに座ったまま、射殺した。その理由は、朴正熙が、自分の引退の花道に「韓国は核を持つ」と宣言したからです。この決断は、アメリカ政府のレッドライン（越えてはいけない一線）を超えたからです。安倍晋三と同じです。

BF　キッシンジャーは世界中でさまざまなトップを殺しています。それは「リアル・ポリティクス」なんだと言っていましたが、もういいよ、と私は思います。

◆アメリカ中間選挙

BF　11月8日のアメリカの中間選挙の日に、皆既月食がありました。

　私は以前イタリアに行って、P2（ピーツー）フリーメイソンの人に会ったときに言われたのですが、彼らは古代からある脚本に沿って世界を操っている、と言うのです。その際は、大きなイヴェントを天体の動きに合わせていると言っていました。ちょうどその11月8日の皆既月食の日に、アメリカの中間選挙があっただけでなく、エヴェリン・ド・ロスチャイルド（Evelyn Robert Adrian de Rothschild　1931−2022）の死亡が発表されました。

副島　米中間選挙は下院を共和党が制したという結果しか出ていません。これまでの経過を見ていて、本当にヒドいもんですね、アメリカ政治は。

　トランプ自身が〝They stole the election.〟「あいつらは（私たちアメリカ国民から）選挙を盗んだ」と言っていました。だから、本当に大がかりの不正選挙 fraudulent election（フローデュレント エレクション）、voter fraud（ヴォウター フロード）なのでしょう。ただし、完全犯罪（パーフェクト・クライム）に近い。証拠があまり出ていない。

BF　いや、結構出ていますよ。山ほど出ていると言ってもいいです。

副島　出てても、日本の私たちのところまではあまり伝わってきません。

BF　いま検閲がすごいのです。私も自分のパソコンに生まれて初めてVPN（Virtual（ヴァーチャル） Private Network（プライヴェット ネットワーク））というオンライン上での身元を隠すためのソフトを入れて、それでやっと、これまでいろいろ見られなかったサイトが見られるようになりました。いま検閲が本当に激しい。

副島　イーロン・マスクが、ちょっとぐらいがんばってもダメなのですか。イーロンはツイッターを買収して（10月27日）、従業員を3700人解雇して、「表現の自由」（フリーダム・オブ・エクスプレッション）を守るとがんばっても。

ＢＦ　イーロン・マスクは、ピーター・ティールと共同でペイパル（PayPal）を作った人です。ペイパルは私から1万5000ドルを盗んだし、結構、検閲が激しい。私は、ツイッターは管理された反体制「はけ口」だと見ています。

副島　イーロン・マスクの経営のもとでも？

ＢＦ　そうでしょう。彼の委員会のメンバーを見ると、ADL（エイディエル）（Anti-Defamation League（アンタイ デファメイション リーグ））「名誉棄損防止同盟」というアメリカ最大のユダヤ人団体）の、従来の同じ連中です。だから、私みたいな人間は禁止されたままです。検閲されているのはほとんどユダヤ人。

でも、直近ではいいニューズがいっぱいありました。まず下院議長のナンシー・ペロシが辞めた。民主党のトップを退任すると報道がありました。

10月28日に、サンフランシスコのペロシの自宅に男が押し入り、ナンシー・ペロシの82歳の旦那さんのポールがハンマーで攻撃されたというニューズがまず出て……

副島　押し入ったとされる男と、旦那のポールは、あれはお互いゲイでしょう。下着姿で腕を摑み合って動かないでいた、そして警察が来てから、ほっと旦那が緩んだら相手の男がカンカンと頭を叩いたらしい。それで頭蓋骨を骨折した。あれはゲイでしょう。ゲイが相手が裏切った、とか、愛情を失ったと感じたときの憎しみってすごいらしいですから。

BF いろいろな説が出ています。最初は、彼がQアノン（トランプ熱烈支持派）の右翼に攻撃されたという説が出ました。

副島 そんなのはウソですよ。

BF そう。そのあと、いや、あれは彼の同性愛の恋人とのケンカだったというのが出た。要するに、戦っている2つの陣営の泥仕合。私が聞いているのは、じつは、ポールはグアンタナモ基地に連行されて、もういないと。それでペロシも旦那を取られたから辞めざるを得なかったのではないかということです。

副島 ああ、そうですか。その前にトランプが自分のSNSのトゥルース・ソウシャルTruth Socialで、「ペロシはなぜ台湾に行く（8月2日）のか。そんな必要はない。それは旦那のビジネスのスキャンダルが出るのを防ぐために行くのだ」とトランプは書いていました。

◆コロナワクチン被害者が起こした裁判がいよいよ始まった

BF 今週、私は人間ドックに入ったんですよ。担当してくれたお医者さんに、「いま、ワクチン被害が見られますか」と聞きました。そうしたら、「すごいですよ、多いですよ」と言っていました。心臓の問題とか。「だから、医療界全体がいまワクチン被害でパンクしそうですよ」と言っていました。ワクチン被害はいっぱい出ています。

副島 そうでしょうね。ワクチンを3回以上打った人たちの中から、これからもっともっとたくさん死人が出るでしょうね。だけど、医者たちは1本ワクチンを打つと、4万5000円もらえるという説と、2万5000円もらえるという説の2つがある。どうも2万5000円のほうが正しいらしい。1本につき。だから、口止め料なんですよ、医者たち向けの。そして、医者たちをワクチン殺人の共犯者に仕立てあげる。日本政府も、ディープステイト＝カバールからの激しい圧力と命令で、「5回目を、日本人すべてに打たせろ。幼児、児童たちにも打たせろ」と脅迫している。岸田首相も、ニューズ番組で腕をまくり上げて、「私も5回目を打っています」とやっていた。ホントにもう、バカですね。狂気の沙汰だ。

ＢＦ　有名な医科学誌、たとえば「ニュー・イングランド・ジャーナル・オブ・メディシン」*New England Journal of Medicine* とか「ランセット」*Lancet* のような有名な医学誌が、大きな学術論文の出版社である「キンダウイ」は５１１本の論文を削除したと発表しました。COVID（新型コロナウイルスのこと）について、これまでに嘘の論文を掲載したといって、詐欺だったと分かったと言って。

また『ブリティッシュ・メディカル・ジャーナル（*BMJ*）』誌というこれも世界の５大医学誌に入る雑誌なのですが、アメリカのＦＤＡ（食品医薬品局）が、ワクチン被害のデータを隠蔽している、というのを公表した。この論文を、日本の医師会に入っているお医者さんたちが読めば、ちょっとはまだ目覚めていない医者たちの意識も変わってくるのではないかと私は期待します。

副島　医者たちがそろそろ騒ぎ出しているみたいですよ。このままだと、自分たち自身が加害者になってしまうから。自分がワクチンを打った人がそのあとにコロっと死んじゃったという事例が次々と起きていますからね。

ＢＦ　損害賠償の問題になるからね。

副島　そう。もう出てきています。ワクチンの許可を出した政府（厚労省）と打った医者たちに賠償請求する裁判が、日本全国であちこち起きています。

BF　あと私が読んだ最近の話ですが、ワクチンの20本に1本、5パーセントにだけ毒物が入れられているという情報でした。そうすると、パンデミックと見せかけることもできるし、人口削減もできる。全員に急に死なれたら、お客さんがいなくなって儲からないからね。

5大医学誌の中でも、これまでに載せた論文を撤回するとか、詐欺だったとか、ウソの論文が発表されたとか、賄賂もらったとか、どんどん出ています。これはニュルンベルク綱領違反ですからね。100パーセント間違いなく、戦犯裁判（ウォー・クライム・コート）が始まります。

ワクチン推進で賄賂をもらった人たちが、これから戦犯裁判（戦争犯罪の裁判）を受けることになりそうで、今ものすごくビビっています。あれは完全に戦争犯罪ですからね。ワクチン詐欺をやった連中、それで賄賂をもらった連中は、全員捕まりますよ。繰り返しますが、これは重大犯罪（フェロニー）ですから。

副島　日本でもワクチン被害者の団体が出て、裁判を始めました。厚労省とファイザー社を訴えています。ファイザーが急に一部の事業を分社化して「ヴィアトリス」とかいう名前に変えたみたいです。

BF　ファイザーの社長のアルバート・ブーラが、10月10日にブリュッセルで開かれた欧州議会（ユーロピアン・パーラメント）に証人に呼ばれたのに、拒否して出席しなくて、調べた

高級誌の『アトランティック』誌に出たCOVID詐欺への恩赦を求めるエミリー・オスター筆の記事（2022年10月31日）

Subscribe

The Atlantic

IDEAS

LET'S DECLARE A PANDEMIC AMNESTY

We need to forgive one another for what we did and said when we were in the dark about COVID.

By Emily Oster

「パンデミック騒動への恩赦（アムネスティ）を受けられるよう宣言しましょう。

我々はCOVID（新型コロナウイルス）について何も知らなかった時に、我々が言ったこと、行ったことについて、互いを許し合う必要があります」だと。

ふざけるな！

らパラグアイに逃げていた。逮捕されないように。パラグアイにはナチスのアジトがある。

副島　そうです。パラグアイ国（アルゼンチンの東隣り）は、驚くべきことに、大統領以下、政府が統一教会（ムーニー）の信者になっているようです。何たることだ。

BF　0歳から59歳まで、ワクチンを打っていない人の新型コロナウイルス感染者の生存率は、99・965パーセントだという数字が出ています。どうして報道されないのか不思議です。要は、かかっても死なないのです。ならば、ワクチンはなんのために打っているんだ、になるわけですよ。一方、ワクチン被害のほうは今かなり出ています。アメリカで1800万人にワクチン被害が出ている。日本でもかなりの人にワクチン被害が出ているでしょう。要するに、スパイクタンパクの大量生産が原因になっていると言います。

あと、遺伝子組み換えですから、子孫にまでこの被害は残ります。

先週、「アトランティック」*The Atlantic* というアメリカの雑誌に、〝Let's declare a pandemic amnesty.〟つまり、「私たちが新型ウイルスパンデミック騒動を起こした罪を許してください。免罪にしてください。罪を恩赦（amnesty（アムネスティ））してください」という内容の記事が出たのですよ。そんな記事が出ること自体が驚きでした。今までだったら、「ワクチンは危険だなんて言うのは〝陰謀論〟だ」と、逆に攻撃してくるような記事ばかりでしたから。その記事に対する読者の反応は「ふざけるな」というものばかりで、「98パーセントが絶対許さない」というアンケート結果が出たのです。これは国際軍事裁判で裁くしかないんだ、と。

だから、私に言わせると、いますごいことが起きている最中なのですよ。

副島さんはワクチンを打ちましたか。

副島　打ちません。マスクもしません。マスクをしないまま、百貨店や病院に入ろうとして、何度か警備員に羽交い絞めにされました。道で、マスクをしていない人とすれ違うとき、お互い手を挙げて「仲間だよな」と確認の合図を送ったりしています（笑）。フルフォードさんはどうですか。

BF　私ももちろんワクチンも打ちませんし、マスクもしません。問題は1年に1度、カナダに里帰りするとき。体質的にワクチンは打たないほうがいい、とドクターストップがかかっていると申告しています。

話を戻すと、世紀末戦争を起こして人類の9割を殺して、残った1割を家畜化しようと計画しているグループがパンデミックの捏造もしているのは間違いない。証拠は山ほど出ています。それ以外でも、ウクライナから食料輸出をわざと滞らせて食糧難を起こそうとしているとかもあります。

例えで言うと、試験で落第するのが確実な小学生が、試験の前に学校に放火しようとするようなものです。試験ができないように（笑）。それと同じように、自分たちが握ってきた権限を失う前に世界を破壊して、みんなを殺そうとしている。そうすれば、自分たちの立場を温存することができるから。という、そういうわけの分からない連中が欧米のトップにいるということが問題なのです。私はそういう考えです。

◆カルト宗教は容易に利用される

副島　まったく同感です。再び安倍晋三の話ですが、私は静岡県の熱海市に住んでいます。なぜ熱海に住んでいるかというと、もう17年も前になりますが。東京から逃げなければ統一教会（ムーニー）に殺される、と思ったからですよ。だから逃げた。東京だと危ないのです。駅のホームでぱっと振り返ったら、変なやつが近くに立っていたりしました。だから私は東京に出たときは、なるべく電車にも地下鉄にも乗りません。タクシーで移動します。新幹線には乗ります。

だから、安倍が死んで、あーよかったと、これでもう自分は殺されることはなくなったと勝手に判断しているのです。

それで。ところが、熱海の家の玄関の向こうの、道路の反対側の鉄筋アパート（いわゆる別荘地のマンション）のベランダに、私を監視するためのカメラが2個ついています。おそらく公安警察（政治警察）のものでしょう。以前は、その部屋に公安警察官が住んでいたのですが、この4、5年は、インターネット・カメラが発達したので、遠隔地カメラのようです。私をVIP（ヴィップ）待遇で警備してくれているのかな、と思ったら、佐藤優（まさる）氏に聞いたら、「いや。警備なんかしてくれませんよ。副島さんが死んだら、すぐに政府がそれを知るように、監視しているんですよ（笑）」とのことでした。どうも、警察は第2発見者でいいようだ。第1発見者は私の家族であってくれないと、彼らは困るようです（笑）。

BF　日本の警察とヤクザには島制度があるんですよね。

副島　ええ。島（シマ）。そうです、縄張りです。警察と役所はそれを管轄（かんかつ）と言います。

BF　私は武蔵野市に住んでいて、このへんは安全で良心的だと思いますが、もっと西のほうの八王子のあたりだと、ちょっと危険な感じがしています。

副島　そのとおりです。武蔵野市は富裕な市ですから。住民サーヴィスもしっかりしているでしょう。八王子市は萩生田光一（はぎゅうだこういち）がいるところ（選挙地盤）ですから。統一教会が強いところです。統一教会はあちらこちらの宗教団体にもたくさん潜り込んでいきます。石原慎太郎を支持していた霊友会（れいゆうかい）。杉並にある立正佼成会（りっしょうこうせいかい）。大阪のPL（ピーエル）教団とか、あれらはみな、ムーニーが入り込んでいる。今はもうかなり乗っ取っているみたいです。私の感触では、大組織の創価学会の中にも、もう2割ぐらいは統一教会が潜り込み、浸透しているみたいです。本当に大変なことです。創価学会と公明党の幹部たちが、この事態に激しく怒るか、と思ったら。ちっとも怒らない。何とも奇怪な現状です。

BF　そうなんですか。

　私が自分で経験したことでは、一度、小金井市に運転免許の更新に行ったのです。駅に降りたら、いきなりヤクザみたいな男たち数人に取り囲まれたことがありました。「ここで何してるんだ」と言うから、「免許の更新」と言って振り切りましたけどね。小金井警察のあるあたりは、なんかすごく穢いという印象があります。実際に、私を嵌めるために、私が麻薬常習者だと嘘の証言をするように画策した人がいたのもあのあたりです。

　あそこのグループの人は、２０１１年の３・11に大きく加担しています。あと、私がずっと行っていないのがアメリカです。９・11以降、もう20年以上、一度も行っていません。アメリカは私にとって安全な国だと思っていないからです。

副島　そうでしょうね。フルフォードさんがアメリカ合衆国に入ったら危険ですね。確実に殺されるでしょう。私だって危ない、と思っています。

　私が一番怖いのは、普通の統一教会員ではないのです。日本の政治警察、公安警察の中に潜り込んでいる統一教会員が怖いんです。彼らは公務員である警察官ですからね。捜査・逮捕権を持っていますから。それが時間をかけて日本の国家組織の中にもたくさん入り込んでいるのです。例えば、警察庁とか法務省にも。裁判官たちにもいますよ。だから、安倍殺しを、きちんと捜査して、正しく裁判をやろうとする司法刑事職員（enforcement officers エンフォースメント・オフィサー）たちがいないのです。

まったくもって、腐敗した、汚れた国だ。誰も、大事件である安倍殺しの裁判がいっこうに始まらないことを不思議に思う人々がいない。誰も、「おかしいじゃないか。どうして裁判を始めないのだ」「犯人（?）の山上徹也（41歳）を、いつまでも大阪拘置所で精神鑑定の判断待ち、などにしておくのはおかしい」と言い出さない。

それから、誰もちゃんと書きませんけどね。創価学会の名誉会長の池田大作はもう死んでますよ。おそらく15年ぐらい前に。誰も書かないから、私が書いてやろうかと思っています。

BF　やっぱり大きな利権が絡んでるからね。

副島　それは分かりません。I don't know about it. とにかく、人が死んだら、死亡届を出さなければいけない。ところが、出さなくても罰則はないのです。

BF　ミイラにして、あるいはホルマリン漬けにしているんでしょうかね。奥で寝てますよ、とか言って。

副島　本当は創価学会自身、困っているでしょう。どうしたものか、と。安倍が死んで、今。

自分たちも統一教会と似たようなものだと言われるのが本当に嫌みたいですね。私が前述したとおり、創価学会の中に潜り込んでいる統一教会がいますからね。

BF　結局、先ほどから私が言っているグループ、ハザールマフィアは、カルト宗教を利用するのです。だから、天理教、統一教会、創価学会……。アメリカではモルモン教とか、いろいろありますよね。そういうところに、例のグループの連中は潜り込んでいるのです。自分たちの工作員を作るために、宗教カルトを利用する。これは、あの人たちの帝王学の肝心(かんじん)なところです。

副島　潜入。多くの組織、団体の中にインフィルトレイト（infiltrate）するわけですね。フルフォードさん。原理的で素朴な問題なのですが、カルトというのはいったい何なのですか。日本語にならないんですよ。中国語から来た「邪教」、よこしまな宗教団体という以上のことはね。淫祠邪教(いんしじゃきょう)と言います。

BF　カルトの特徴というのは、まずカリスマ性のある、絶対的な指導者がいること。例えば池田大作みたいな。文鮮明みたいな。そういう神様みたいな指導者がいること。あとは、いったんそこに入った人間に、それ以外の人との交流を制限させる。この発想以外の発想を持っている人とは交流させない。

副島　それがデフィニション（定義）なんですか。

BF　デフィニションというより、私が持っているカルトの特徴です。

副島　フランス人がもう40年前に、この「カルトとは何か」の議論を一所懸命して、それでようやく2001年に反カルト法を作りました。

BF　そうです。

副島　それで、フランスの反（アンチ）カルト法（アクト）は、まず、それに該当する団体であっても宗教の自由は認める。宗教団体としても認める。そうしておいてから規制（レギュレイション）する、という構成にしてある。そこで日本では、安倍晋三殺しが起きたので、今からこの問題を議論しなければいけなくなった。日本政府（文化庁宗務課）としては、統一教会の解散命令を出すところまで行くと思います。そうしないと国民が納得しない。日本の宗教法人法81条にも、解散命令という条項があります。これを適用するでしょう。その時の理由は、この宗教法人法の中に書いてありますが、「パブリック・ハピネス」の条文です。公共の福祉（public happiness パブリック・ハピネス）に著（いちじる）しく反している団体を規制し、解散させる。岸田政権といえども、やると期待しています。やらないでこのまま放っておいたら、岸田政権は倒れてしまうでしょう。

BF　でも、私は岸田政権をあまり信用していません。海外の石油を買わなくて済むように動かせる原発（げんぱつ）は動かしましょうとか、いいところもあるけれど。なぜワクチン営業をやっているのかと、やはり信用できないところがあります。

副島　岸田は決断力がないということが強く言われています。まったく決断力がない。ぼんぼんの3代目ですから。だから評判が悪いのですよ。やはり、首相になった以上、どんなに嫌がられても自分で決断しないとね。だからもう支持率32パーセントになってしまった。それで岸田本人が焦っている。ところが、岸田に取って替わる次の人がいない、と言われている。

BF　岸田政権の支持率が低いのも当然だと思います。でも、今は世論調査自体がインチキですからね。いまは、世論調査ってロボットというか、コンピュータがやっています。ときどき電話がかかって来て。機械がしゃべっています。この間(あいだ)の、東京新聞と産経新聞の世論調査では、政府の支持率は8パーセントでした。それに対して、朝日と読売では、40何パーセントということがありました。

副島　だいぶインチキですね（笑）。

BF　そう。だから世論調査はいますべてインチキですよ。例えば、アメリカの世論調査でもバイデンの支持率が4割と出たら、誰も信じませんよ。本当のバイデンの支持率なんて5パーセントもありません。これは100パーセント断言できます。世論調査はデタラメです。私は、岸田というのは、何の権利もない奴隷だと見ています。日本の総理大臣にはいかなる権力もないんです。

◆岸田政権は統一教会と縁切りできるか

副島　日本の政治評論家と新聞記者たちの中に大きな共通理解があってですね。戦後の日本の保守本流と呼ばれてきた人たちは、吉田茂系の宏池会（こうちかい）です。岸田はこの流れです。吉田茂は、戦前イギリス大使もしていた。まもなく戦争が終わる、もう負けると分かった時に吉田茂が終戦のために動いているのですね。ローマ・カトリック教会とも連絡を取った。イギリスとアメリカの両方とつながっていた人です。だから戦後、首相になれた。吉田茂の系統の敗戦後の政策思想は、重要な言葉で、「軽武装（けいぶそう）。経済優先」という言葉です。武装はする、自衛隊を持つ。しかしそれは最小限度だ。それよりも経済優先で国民を食べさせることが一番大切だ、という方針です。

ＢＦ　その宏池会出身の総理大臣には他に誰がいますか。

副島　池田勇人（はやと）がいましたね。そして大平正芳（まさよし）、鈴木善幸（ぜんこう）、宮澤喜一（きいち）がそうです。あと佐藤栄作もじつはそうなんですよ。

ＢＦ　田中角栄は別ですか？

副島　角栄は最初は佐藤派でした。角栄は独特。愛国者で、独特でした。角栄は自分の大きな派閥を作りました。独自（独立国の）外交を始めた。それがアメリカに嫌われた。それで1980年代（レーガン時代）には中曾根康弘に取り替えられた。今の岸田は宏池会出身の首相としては久方ぶりなのです。

吉田茂系のもうひとつの大きな特徴は、絶対にアメリカと喧嘩しない。「面従腹背」と言うんです。表面は穏やかにアメリカの言うことを聞く（面従）。しかし、腹の中では、独自外交を目指す（腹背）。

BF　それで今、岸田政権の裏方はどういう系列ですか。

副島　岸田を裏から支えている有力者（実力者）はいない、と言われています。だから岸田たちは心細いけど、自分でやるしかない。実力もないのに。私たち政治分析をやっている人間としては、岸田首相本人が統一教会をきちんと自民党から排除する、切り捨てる、と最初からはっきり言えばよかったのにと思っています。国民の中の、自民党を支えている保守派の温厚、穏健な人々もそれを期待していた。しかし、岸田はきちんと言えない。どうも、まだべったり安倍派（統一教会）の勢力にくっついている。

もっと簡単に言うと、今回、ワル（真実は大暴力団たちの真の親分）の森喜朗を、検察庁と法務省が逮捕できなかった。東京オリンピックの贈収賄事件で騒いでいましたが、森を逮捕できない。在宅起訴もできない。ということは、安倍を死なせたけれども、森がまだ生きてますから。そうすると安倍派がね、清和会というのですが。93人、いや100人いるのかな。これがなかなか潰れないんですよ。分裂もしない。全体が統一教会ですから。

岸田がまだべったりそれとくっついている。もう国民に嫌われているんです。こいつは決断できない人間だと国民に判断されている。人と絶対に喧嘩しないでずっと生きてきた3代目ですから。ボンボンの3代目は喧嘩できないんですよ。ただその代わり防御はできる。きっちり、相手からの攻撃はよける。避ける。その分だけ自分が受ける打撃が少ない。これを「金持ち喧嘩せず」と言います。宏池会（吉田系）の性格のもうひとつは、「棚からボタ餅（が落ちてくるのをじっと待つ）」というのがあります。

防御、自己保持の鉄則は、自分が思っていることを絶対に顔に出さない。岸田は見るからにこの術を十分に心得ている。だから、弱みを握られない。寄ってくるやつはみんな自分をダマしにくるやつだと思っている。そこは賢い。相手の意見（主張）をいつまでもじっと聞いています。ずっと。そして自分の考え（意見）は何も言わない。言うとすれば、「その件について検討します」と言う。だから岸田は検討使、遣唐使（8世紀、9世紀の中国の唐の帝国への国家使節）だと言われました。

だけど決断できないから、もうお前じゃ保たないな、と。ただ、支持率も低空飛行すれすれで、来年まで生き延びていく。なぜなら2023年5月にG7の広島サミットを必ず岸田が主催する。

BF ただね、私は海外の親分たちはそこまで保たないだろうと見ています。要は、アメリカとか、G7の既存の体制がその前に崩れると思う。

副島 私もそう希望、期待しているのですが、そこまで急激に世界が動くだろうか。

◆フリーメイソンとイルミナティ

BF 私は、吉田茂が、マッカーサーとよく話をしたと言われている、あの東京タワーの下のフリーメイソンの施設(ロッジ)に行ったことがあります。2人は、あそこで戦後の日本の体制の話をしていたと言われていますね。

副島 ああそうですか。あの一つ目の三角屋根の奇妙な、教会のような建物ですね。そのそば(下のほう)に東京メソニックビルもあります。

BF 私が入ったのはメソニックセンタービルの地下の施設です。副島さんは入ったことありますか。

副島 いやいや、いつも外から見るだけです。

東京タワー下のフリーメイソン施設内部（上左）と、その向かいにある聖アンデレ教会（下）

撮影：ベンジャミン・フルフォード

聖アンデレ教会
撮影：編集部

BF　私は呼ばれたんですよ。中に入りました。写真も撮らせてもらいました。あれはもともと日本海軍の施設。爆破されない施設だったそうですね。

副島　水交社と言うのです。海軍の将校クラブでした。どうも、あそこの地下からずっとトンネルが通っていて、高級料亭につながっていたという噂です。つながった先が高級売春宿だと。きれいな高級花魁たちがいるところにつながっていたそうです。本当でしょう。今もつながっているかもしれない（笑）。

BF　かもしれない（笑）。

副島　そのそばに建っているのがメソニック・ビルといって、日本のメイソンの本部なんですよね。いろいろなライト（儀礼）のためのロッジ（支部）があるようですね。どういう施設なのですか。

BF　フリーメイソンというのは、仏教の宗派なんかと同じで、いろいろな流派に分かれています。一枚岩ではありません。私もさまざまなライトから接触されました。スコットランド系フリーメイソンというのは、英国王族がトップなんですよ。デューク・オブ・ケント（ケント公）がトップです。

副島　いわゆるスコティッシュ・ライト Scotish Rite ですね。33階位あるという。ケント公（Duke of Kent）に関しては、私が今度、別に共著を出すことになっている外務省高官

（外交官）だった孫崎享（まごさきうける）氏が今でも親しくしているそうです。

BF 他に大きいのが、フランスのロッジで「グランド・オリエント」。

副島 フランス語で「グラントリアン」だ。日本では「大東社（だいとうしゃ）」と言います。

BF 中国共産党を作ったのはそのグラントリアンだと言われています。つまり、中国のフリーメイソンもいるんですよね。だから、たぶんヨーロッパの王族の支配道具なんですよ。要するに、ピラミッドの上に目がある。それが王族の帝王学としてまとまった。

副島 例のあの「オール・シーイング・アイ」というやつですね。

BF ええ。「プロヴィデンスの目」とも言います。あの三角の目は、フリーメイソンのシンボルでもあります。一説には、三角形の右上の線が軍事担当、左上の線が経済担当。下の線が宗教担当と言われています。

副島 エジプトの「ホロスの目」というのも、オール・シーイング・アイと一緒ですか。

BF もとはホルスの目から来たでしょう。

副島 「ホルスの目」のホルス Horus は、イシス Isis とオシリス Osiris の間の子供ですよね。

BF そうです。ただ、オシリスはセト Seth という悪神にダマされて殺されて、セトは息子のホルスも殺そうとして、途中、ホルスは片目を失います。しかし、最後は母親イシスの助けもあって、ホルスがセトを倒します。だからここには古代エジプトの王位簒奪（さんだつ）の物語が反映していると言われています。ホルスが失った片目が「ホルスの目」といって、あとでホルスの元に戻るのですが、戻る前にその目がエジプト中を回ってさまざまなものを見た、という伝説があります。なにより、悪神セトの所業をずっと見ていたのもその目です。だから、それが「オール・シーング・アイ」につながった。

フリーメイソンは、たとえばものすごい大富豪や、たくさんの店や工場を所有している大企業家であるとか、あるいは超人気の作家とかアーチストをスカウトして、そういう人たちをつなげた指令体制を作る。昔ならそこに王様がいた。王様ごとにそういう幹部組織を持ったロッジがあった。だから、それが王族支配の道具として使われたのではないかと思います。だから、内実はそれぞれのフリーメイソンのトップによって違うわけです。

たとえば、トゥーレ協会はドイツのナチス系とか。上のほうは、どうもそういうことになっていて、一方、下のほうはと言うと、末端のフリーメイソンはただの社交の場になっている。あるいは慈善事業をやっていて、末端からは全体は分からないようになっています。

副島　日本では商工会議所の人たちがほとんど二重（ダブリ）で入っているロータリークラブ。

BF　そんな感じです。ロータリークラブはフリーメイソンの末端組織ですよ。

副島　末端ですよね。

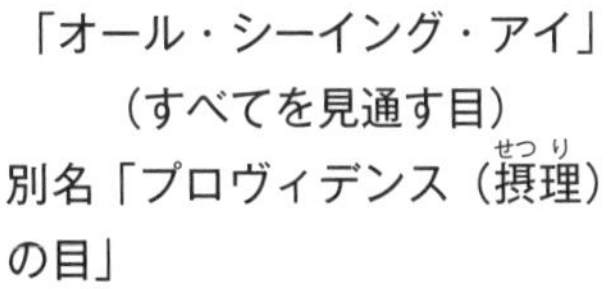

「オール・シーイング・アイ」
（すべてを見通す目）
別名「プロヴィデンス（摂理）の目」

ホルスの目

悪神セト Seth の「セト」が「サタン」の語源になった。
セトは国王オシリス Osiris とイシス Isis（豊饒の女神）を騙して、オシリスを殺した。それから 2 人の息子ホルス Horus をも殺そうとする。しかしホルスによって討たれた。この話には、古代エジプトの王位簒奪の物語が反映されている。

BF　33階級あると言われるピラミッドの下から2段目、3段目はロータリークラブじゃないですか（笑）

副島　そうですね。日本にもたくさん有るロータリークラブはフリーメイソンの、ほぼ最下級の組織です。私はこれまでの物書き評論業の30年間に、10回ぐらいロータリークラブの集会に呼ばれたことがあります。富山県での集まりは大きかった。大勢の富山の経営者たちが大広間にズラリと並んでいました。みんなタスキをかけて、頭に、あの三角帽をかぶって正装していました。エプロン（前掛け）をしていますよね。自分たちは商業で栄えて来た商人や技術者の集まりなのだ、と。

東京のロッジにいわゆる託話（たくわ）（たったの30分間）をしに行ったとき、あとでロッジ（そのクラブ）の会長に、「あなたたちロータリーの組織の上のほうは、フリーメイソンですよ。日本のロータリーの全体の幹部たちは、メイソンの会員です。いろいろの秘密の集まりや儀式（ライト）に参加しているはずです」と、申し上げた。すると、その会長は、「いや、そんなことはないよ」と言った。ところが、半年ぐらいして、その人から連絡があって。「副島さんが言ったとおりだ。日本のロータリーの幹部たちは、アメリカに代表団で行ったとき、フリーメイソンの儀式に参加するそうだ。相当な格式のある儀式も有ると聞いたよ」と。

私「そうなんですよ。そして、どうもフリーメイソンも大きくアメリカ系とヨーロパ系に分かれていて、一番上のほうは対立しているようです」と答えました。

　私のフリーメイソンの成立以来の大きな理解は、まあ割と素朴に作ったのですが。おそらく、大音楽家のモーツァルト（1756-1791）の頃。モーツァルトが死んだ（34歳）のはフランス革命勃発の翌々年です（1791年）。その前、1760年代から、ドイツのフリードリヒ大王（フリードリヒ2世）がフリーメイソンの中に入りこんできた。そしてもともと商工業者や優れた技術者しか入れなかったフリーメイソンを乗っ取ったのではないかと思っている。そのワルの組織の代表が、薔薇十字団（Rosenkreuzer）というフリーメイソン。それから王侯貴族たちがどんどんフリーメイソンに入ってきてしまった。最初は商工業者と、優秀な優れた人間しか入れない組織だったはずなんですよ。

BF　モーツァルトはイルミナティですよ。

副島　うん、まあそうでしょう。イルミナティです。イルミナティは、格から言うと、メイソンリー（マッォニック）よりも上です。イルミナティも始めはすばらしい人々の集まりでした。それが前述したとおり、貴族やローマ教会に、策略で、ヒドく汚された。そして悪の秘密結社になっていきました。

　有名なフリーメイソンの絵で立派なのが、ウィーンの美術史美術館に残っていて、モーツァルトが大きな絵画の一番下の右端に描かれています。その一枚の絵の中にさまざまなフリーメイソンの儀式をやっている。横たえられて、周りから剣で突き刺される、とか、目隠ししてお辞儀しながら徘徊(はいかい)するとか。水や火や嵐に耐える試練の儀式とか。

だから私は、あの頃のフリーメイソンは立派な人たちだったと思っている。あの人たちが、フランス革命（1789年から）をやった人たちですからね。その13年前にアメリカ独立戦争（1775年から）をやったのも、フリーメイソンの人たちなんですね。初代大統領になったジョージ・ワシントンがフリーメイソンのエプロンをして描かれている絵が何枚も残っています。フランクリンやジェファーソンたちもフリーメイソン。あの時のフリーメイソンは立派だった。優秀な人間たちだけの団体で、技術力があり、商売をやっても優れていた。技術屋や芸術家も入会していた。そういう人たちの団体だったフリーメイソンが、そのあと乗っ取られたのではないか。

BF　その可能性はありますね。私が前の章で言った、現在のイルミナティには大きく分けて2種類いる、ということとも一致します。刀に例えると、その刀を誰が振るうかによって、その刀が良い働きをするか、悪い働きをするかが変わってきます。トップが良いと、上だけでなく、下もよい働きをします。全体に良い働きをします。トップが悪いと、上だけでなく、下も悪い働きしかしません。だから、1人が全部を乗っ取れる。イエズス会なんかもそういう面があります。

神聖ローマ帝国の帝都であるウィーンにいたモーツァルト（1756－91。34歳で死）が、フリーメイソン入会儀礼を描いたといわれる絵の中に描かれている。右端に座っている人物がモーツァルト

（ウィーン、美術史美術館蔵）

イルミナティは、初めはフリーメイソンよりも格上のすばらしい人間たちの集まりだった。それが、王侯貴族（カトリック教会の高僧も兼ねる）に乗っ取られていった。

秘密結社イルミナティの創設者アダム・ヴァイスハウプト

副島　イエズス会というのは、Jesuit(ジェズイット) priests(プリースト)「イエズス会士」たちが作る The Society of Jesus「ザ・ソサエティ・オブ・ジーザス」のことです。日本に16世紀（1500年代）になって来てから、日本側（江戸幕府）は耶蘇(やそ)（教(きょう)）会(かい)と呼びました。それに対して、もっと大きくキリスト教は天主教(てんしゅきょう)と言います。この区別がついている日本知識人が少ない。

イエズス会はカトリック教会の中でも、とりわけ戒律を持った鉄の意思を持つ堅い信念の会士（伝道師 missionary(ミッショナリー)）たちです。フリーメイソンと敵対し合って闘っていたはずなんですよね。

BF　そうですね。その点でも、フリーメイソンのほうはエジプトの太陽崇拝に近づきます。つまり、ローマと対立していたという面で。

副島　そうなんですよ。だがフリーメイソンたちはローマ・カトリック教会が大嫌いでした。この対立はものすごく根深い。この事実を知っている日本知識人は、今もものすごく少ない。なぜなら、この真実はバラされたくないからです。

だから、私は、ナポレオンはこのことで本気だったと思うのです。ナポレオンがどうしてエジプトにまで遠征したのか（1798〜1801年）。それは太陽崇拝の自分たちの思想の原形を見つけようと思った。革命派のパリ市民たちはそう考えた。反(はん)ローマ教会ですよね。彼らはローマ教会、カトリックが大嫌いですからね。

ドイツとスイスではルター派とカルヴァン派が、ローマ教会と闘っていた。スコットランドもカルヴァン派です。フランスではナポレオンたち、フリーメイソンが、ものすごくローマ教会を嫌っていたはずなのです。

BF フランス革命はグノーシス派イルミナティの仕業ですからね。王族・貴族の特権階級を皆殺しにするというのは、アメリカ革命にも、ロシア革命にも共通する点です。ここから私が言うところのグノーシス派のグループの、能力主義が正しいという考えが出てくる。

副島 能力主義とは meritocracy で、「能力のある、生産性の高い、知能の高い人間たちを大切にして、周囲の人々からの尊敬を集めなさい」という思想ですね。それがまさしく家柄とか血統ではなくて、個人として有能な市民階級の者だけが入れる、フリーメイソンの思想になった。イルミナティは、前に出てきたアダム・ヴァイスハウプトが作った時（1776年）は、素晴らしい人間たちの組織だったはずなのです。アダム・ヴァイスハウプトという人は、当時はゲーテと同じぐらい人気があった人らしいです。彼の本が爆発的に読まれていたそうです。ところが、1784年に、生地のインゴルシュタットがあったバイエルン公国がイルミナティ禁止令を出したために、ヴァイスハウプトはそのあと各地を逃げ回った。殺されはしなかったけど。このあと組織は悪い連中に乗っ取られていったと思います。フランス革命の時から、ヨーロッパ各国の王族と貴族たちは、「このままでは自分たちは民衆に殺される」と激しい危機感を抱いた。それで、市民革命を指導したフリーメイソンを変質させるために乗っ取った。

BF　私が会ったイルミナティの代理人はあのチェスのチャンピオン、ボビー・フィッシャー（1943-2008）にスカウトされた人物でした。その人は今も生きています。グノーシス派イルミナティというのは、貴族ではない、本当の実力のある人たち。だから軍組織に強い。

アメリカ軍にはグノーシス派イルミナティの人が多くいます。だから米軍は強い。いわゆる能力主義で這い上がっていく。経済、商業の分野でもそうです。おそらく、ジェフ・ベゾスとか、イーロン・マスクなどもそういうメンバーではないかと推測できます。彼らに血筋はないから、独力で富を作ったからスカウトされたのだろう。

ただし、この人たちも、自分一人ひとりは人類のためにいいことをしているつもりでも、本当に人類のために良い結果になるかというと、それは別問題。例えばヒトラーはどうなのか。ヒトラーは自分を悪い人だと思っていなかった。優れた文明を作ったアーリア民族に主導権を与えて、素晴しい自然と調和のある地球を作りたい。そのために劣等の民族は自分が消滅させると。ヒトラー自身はこう思って、自分はいいことをしているつもりだった。

副島　それはユージェニックス eugenics（優生学（ゆうせいがく））から出てきた思想でしょう。

BF　そう、ユージェニックスです。だけど、本人たちは悪いことをしているつもりはない。

副島　ヒトラーたちナチスに「ヨーロッパ白人種は優れている人種（race）だ」と信じ込ませる優生思想を教え込み、叩き込んだ（洗脳）のは、イギリスで生まれた優生学だ。社会ダーウィン主義（Social Darwinism）です。21歳のヒトラーは、ロンドンの北のタヴィストック心理戦争研究所（Tavistock Psychological Warfare Operation Institute）に連れて行かれて洗脳されました。白人種の理想とされるアーリア族（Aryan race）など、存在しません。居ません。あんなコーカサス地方なので、今のロシアのコーカサス Caucasus あるいはカフカス地方のことだ。ここにヨーロッパ白人種の起源のアーリア人種がいた、などと信じられない。完全なる虚偽です。アーリア（アリアン）人種など存在しない。インド・ヨーロッパ語族（Indo-European language family 印欧語族）など存在しない。まだ、そんなものが在ると信じているとしたら相当の愚か者です。学問としてはすべて否定されています。×人類学（アンスロポウ・ロジー anthlopo-logy）も、×言語学（リングイスティックス linguistics）もその中心部分は滅びました。このことは巨大な学問スキャンダルです。

今のウクライナ人は、自分たちのことを「きれいな、きれいな透き通るような真っ白のウクライナの女たちがいる、人類で一番優れた民族だ」と信じ込んでいる。それがまさしくネオナチなんですよ。

BF　そうそう、まさにそう。

副島　巨大な妄想を勝手に信じ込んでいるからもう救いようがない、あの人たちは。だからモスクワ・ルーシ（ロシア人）が大嫌いなんだ。自分たちはキエフ・ルーシだから。本当は同じロシア人（Rusi ルーシ）なのに。この点では、この奇妙さ奇怪（きっかい）さは、東アジアでは朝鮮人・韓国人が持つ歪（ゆが）んだ優等民族、選民感情とそっくりです。

BF　まあ、やっぱり長い歴史があるから、いろいろあるとは思います。

　ウクライナではなくてポーランドが対象ですが、こういうウエスタン・ジョークがあるのですよ。

　3人の男が魚釣りをしていた。1人がロシア人。1人がポーランド人。もうひとりはドイツ人。で、3人は不思議な虹色の魚を釣り上げました。そうしたら、釣り上げられたその魚が、「私を解放してくれたら、あなたたちの夢を何でも叶えてあげる」と言って解放を懇願したんだそうです。そしたら、「ああそうですか」と言って、まずドイツ人が、「では、ロシアを殲滅（せんめつ）してください。この地球上からロシアという国を消滅させてください」と言ったんだって。魚は「承知しました」と言ってロシアを地球上から消しました。次に魚がロシア人に「あなたはどうしてほしいですか」と聞くと、ロシア人は間髪入れずに、「ドイツをこの世から、地球の歴史から消してください」と言ったんだって。魚は「承知しました」と言っ

カナダの首相ジャスティン・トルドー（1971－）は、キューバのフィデル・カストロ（1926－2016）の隠し子と言われている。本当にそっくりだ。

父親のピエール・トルドー元首相の奥様がカストロと浮気して出来た。現在では多くのカナダ国民もこの真実を知っている。

左はネオナチと言われるカナダ財務長官（兼副首相）クリスティア・フリーランド（1968－　）

てドイツを消した。最後にポーランド人に、魚が「あなたはどうしてほしいのですか」と聞いたら、「今ほんとにロシアとドイツが消えて無くなったのですか。うん、それなら僕はコーヒー1杯もらえればいいや」と言った、という笑い話（笑）。要するに、もう夢が叶ったからって。

要は、この3つの国には長い、深い憎しみ合いの歴史があるということ。私がカナダにいた頃、セルビア人のカップルと友達になったことがある。その2人は、普通の欧米人の感覚、考え方と大きな違いはなかったけれど、ひとたび話がボスニアのことになると、とたんに感情的になって、もう抑えられなかった。例えば、私からすると、日本人と韓国人の憎み合いは理解できないことがありますよ。それと同じことって、世界のあちこちにありますよ。

副島　そうかー。フルフォードさんに、以前、私はわざとズケと言いました。「あのですね（フルフォードさんの母国である）カナダ人とアメリカ人の関係は、朝鮮・韓国人と日本人の関係と同じだと私（副島）は考えています。アメリカ人はカナダ人を相当に蔑(さげす)んでいますからね」と。フルフォードさんはそれをサラリと相対化、客観化して、今、言いました。

カナダのトロントとモントリオールに80万人ぐらい、ウクライナ人が住んでいるでしょう。そして、今のカナダの財務長官のフリーランドという女はとんでもないネオナチでしょ、あれ。

ＢＦ　そうですね。クリスティア・フリーランド（Chrystia Freeland　１９６８－　）。今度ＮＡＴＯの長官になると聞いています。

副島　それからカナダの外相の女、メラニー・ジョリー（１９７９－　）も、ウクライナ系の人ですが、相当なネオナチですね。反ロシアの塊です。

◆第２次南北戦争が間もなく始まる

ＢＦ　子供の頃のことで覚えていますが、ウクライナ系カナダ人が周囲にいっぱいいたんですよ。特にカナダの西のほうにね。移民３世までいました。農村に住んでいるから、ウクライナ語のままというか、今もロシア語のままで暮らしている。だから、彼らは当時からずっと外交問題にものすごく熱心でした。狂信的と言っていい。だけど、一般のカナダ人にとってはどうでもいいことだから。そうすると、彼らのほうに、その問題の主導権がいってしまう。だから、カナダの政治家の多くが反ロシアになってしまう。もともとが、ロシアから逃げた人たちがカナダにたどり着いたからです。

副島　そうすると、最初はロシア革命（１９１７年）前から来た人たちですか。

ＢＦ　そうです。

副島　じゃあもう100年だ。アメリカ合衆国よりもカナダにたくさんいるのですか。

BF　そうです。カナダのほうが多い。120万人ぐらいいると言われています。

副島　その中から志願兵、ボランティーアでウクライナへ行ってる人たちがいるんですか。

BF　いますいます。結構いるんですよ。だから私はカナダに里帰りしても、やっぱり自分の兄弟、親戚相手でも、ウクライナの話を避けていた。みんな「ロシアは悪い、ロシアは悪い」と洗脳されているから。

副島　ほとんどウクライナ支持なんですか。ロシア側を支持する人はいない？

BF　いえ、いることはいるのですよ。いわゆる目が覚めている人たちがいますから。だから、ここでも分断されている。

　ワクチン打つ派とワクチン避ける派と同じです。ウクライナに正義がある派、とない派、この2つがはっきり分かれている感じ。今、北米社会はすべてそうです。そしてこの溝があまりに深くて広いから、内戦（civil war）になる可能性もあるぐらいです。

副島　そうですね。その分断は日本にも有る。私の叔父たちは、戦中派（20歳代の頃、戦争があった）ですから、共産主義（反共）の考えでした。実際に戦って殺し合ったのは、アメリカなのに、アメリカに負けてしまって占領されて、屈服して日本は属国になってしまったものだから、ここで思考の複雑骨折が起きて、とにかく反ロシア、反中国の、「ロスケ、チヤンコロ（ついでにチョーセン人）憎し」の感情になった人たちが多い。それが今も続いている。今でも強固な反共人間が、自民党安倍派支持（安倍はもう死んだのに）で、500万人ぐらいいます。彼らは、そのまま統一教会支持派と重なります。

私は、どうもアメリカは近く分裂するんじゃないかと思っています。そういう本を3年も前に書きました（『国家分裂するアメリカ政治 七顛八倒』秀和システム、2019年刊）。だからザ・セカンド・シヴィル・ウォー、第2次南北戦争が起きるのではないですか。

BF その可能性は大いにあります。

副島 テキサスのあたりでテキサス独立軍の志願兵が動き出したという話もあります。

BF テキサスと、それから、よく「バイブル・ベルト（聖書帯）」と言われているところと。

副島 ミッドウエスト（中西部）の南側の人たちだ。

BF カリフォルニアとニューヨークにいるエリートとのギャップもすごいからね。

副島 国家分裂するか、どうかですね。

BF 分裂か内戦か。

副島 この間、ドナルド・トランプをワシントンの裁判所にサピーナ（subpoena「召喚令状」）で呼びつけたでしょう。できればトランプを収監、捕まえたいわけでしょう。

BF　ご存じですか？　アメリカの11月8日の中間選挙前に、FBI本部で銃撃戦があって、まだ続いているという情報が入っています。FBIは悪い側の用心棒ですから。そこにいまトランプ派の特殊部隊が派遣されて、本部の中で銃撃戦が進行中だそうです。地元のテレビには出ていました。パパパパパパッて音が聞こえて、地元のテレビ局は、これは何か高熱機械の不具合が起きている、とか訳（わけ）の分からないことを言っていました。

でもあの音はどう聞いても銃撃戦です。それで私が調べてみたら、もうお互い、裁判でのやり取りでは勝負がつかないことがはっきりした。だから、もう実力行使が始まっているということです。

あと首都のワシントンDC（ディーシー）も政府が不在で、実際はシリコンバレーとニューヨークと、一部西海岸で、バイデン劇場のニュース番組の撮影をしています。そことの直接の銃撃戦、武力衝突がこれから始まるかどうか。

バイデンの後ろにいるのはオバマです。そのオバマの後ろにはクリントンやロックフェラーがいる。

それでね、この話もちょっとしたかったの。（映画ネット配給会社の）ネットフリックスNetflixで、バイキングのシリーズをやっています。実際の歴史に基づいてやっているのですが、有名なバイキングの王様の役を、太った黒人の女性が演じている（笑）。もし中国のドラマで、中国の歴史的な将軍の役を白人のおばあさんが演じていたら、どう思いますか？　もしくは19世紀初頭に、アフリカ南部に一大王国を築いたシャカ・ズールー（1787－1828）を、金髪デブの白人女が演じたらどう思いますか。そういうわけの分からないことをやっているのがオバマなんですよ。

今では銀行の広告に登場する人物の8割が黒人。彼がいろいろ個人的な差別を受けた恨みつらみがあるから、こういう黒人俳優を無理に起用するやり方を押しつけているわけです。バイデンの裏にオバマがいる。

とにかくきわめてうさんくさいことが多いですよ、今のアメリカは。みんなものすごく反感を感じていますよ。私も人種差別は大嫌いだけど、対白人差別もダメだよ、という気持ちです。

副島　うーん。分かりません。黒人大統領だったオバマには、そんな資金力もないし、テレビ局を動かす力もあるはずがない。それなのに、どうしてフルフォードさんが、黒人代表でオバマを過大評価するのか理解できない。日本人である私は、オバマなんて、奥さんのミシェル・オバマ（大都市シカゴの黒人の実力者の娘）の庇護下でひっそりと暮らしているだけの男にしか思えない。自分が建てるべき大統領図書館（プレジデント・ライブラリー）をシカゴに建てる資金も集まらないのに。フルフォードさんも、やっぱり白人なんですね。白人対黒人の対立というのも根深いのですね。日本人は、その中間だから（黄色人種なんかいません）両方の感覚が分かるんですよ。

◆ウクライナ系カナダ人とロシア系カナダ人

副島　9月22日から慌ててロシア国外に脱出しようとしたロシア人たちがいます。ポリティカル・アサイラム（政治的逃避）だと思いますが。プーチンが予備役（reserve）の兵士たち30万人を召集したものだから、それ以外の若い男たちの一部が、国外脱出に動いた。プーチンにしてみれば、「出ていきたければ出ていけ」と20万人ぐらいを自由に脱出させた。止めなかった。この人たちはほとんどカナダに行くしかないでしょう。だって他には行くところがないですよ。彼らは都市市民の高学歴のコンピュータエンジニアみたいな人たちだ。普通のロシア人は外国に行けないですよ。お金ないし。外国で通用する技能もない。だから、出国した人たちは、アルバート州とかのカナダに行くと思います。あのへんにロシア系の人たちがいるからね。

BF　まあおそらくアルバート州が歓迎するでしょう。ただ、ポーランド当局の人間に聞いた話ですが、ロシア政府の徴兵から逃れる人たちが、たくさん出国したということになっているけれど、あの報道は一部は西側のキャンペーンです。そのキャンペーンも不発に終わった。多くのロシアの若者は、お金をもらって、分かったよ、じゃあ戦争に行くよ、と従った新兵たちと。あとは逆に愛国心から自ら軍に行っている人のほうがずっと多いんです。

副島　ボランティーア・アーミー（志願兵）で。ウクライナ戦線に自ら行くわけですか。

BF　そう。ロシア側のニューズではなくて、第3者、ポーランドとかアメリカの専門家の情報でも、ウクライナ戦争はもう実質的に終わっています。

ついでに言えば、10月8日にクリミアの橋が爆破されましたが。正直言って、あれも戦争が実質的に終わっている証拠のようなものです。ウクライナは、結局もうテロしかできなくなった。軍事戦略的に終わっています。

副島　でも、アメリカからの強力な最新兵器が、まだまだウクライナに供与されていますからね。ウクライナ軍がそんなに弱体化しているとは、私は考えません。ロシア軍もかなりヤラれています。だから、ドニエプル川の東側に、戦略的撤退をした。

カナダの大都市でアメリカ合衆国に近いトロントには60万人ぐらいウクライナ人がいるコロニーがあるそうですね。

BF　はい。

副島　そのウクライナ人たちと、今度カナダに新たにやって来るロシア人たちは喧嘩しないでしょう。

BF　まあそうですね。カナダに移民する限り、海外の喧嘩を持ち込むな、という不文律みたいなものがあります。昔、インドのシーク教徒が、エア・カナダの飛行機を爆破したことがあって、アメリカ政府とカナダ政府が激怒したのです。インドの喧嘩をカナダにまで持ち込むなと言って。

副島　日本語で非(ひ)国民と言うのですが。英語では、「アンアメリカン」un-american と言いますよね。アンチ（反）アメリカンじゃなくて、アン（非）アメリカン。

アンチアメリカン anti-American はいいんですって。私はアンチアメリカンです。それは外国人だからいいのであって、勝手に言ってろ、と。反米(はんべい)を唱えるのは、それは外国のインテレクチュアルズ（知識人）の問題だから。ところが、アンアメリカンというと、これは非国民だ。

私の旧友で、日本で英語を教えていたアメリカ人がいます。物静かな感じで、ずっと日本で暮らしている。日本女性と結婚して。このタイプの人の中に、アンアメリカンがいます。この人はバイクでカナダに逃げた人だ。ベトナム戦争のとき、徴兵令(ドラフト)の召集の手紙が来た。それで、カナダに逃げた。コンシェンシャス・オブジェクター（良心的兵役拒否者）で、アメリカから逃げたアメリカ人だと分かる人たちだ。

BF　そういう人はかなりいました、ベトナム戦争の徴兵から逃げた人。

副島　私にはっきりと言った人がいました。ずっとカナダで暮らしたあと、20年後に田舎に帰れたと。自分の田舎に帰った。ところが、自分のおばさんが口をきいてくれなかったと。これが非国民なんですよ。アンアメリカン。だからそれがものすごく堪えたんだ。だから日本に来て、日本人の女性と結婚して、もう帰りたくないと。相当堪えたでしょうね、一生の問題で。もう自分の国に帰れないんですよ。おそらく職にも就けない。調べられてしまう。アメリカ人だったら、お互いすぐに分かってしまうんですね。この人は徴兵逃れをしたのだ、と。アメリカ国内でも別の都会で暮らせば構わないじゃないかとも思うけど。そんなに生ま易しくはない。

BF　まあ地域と場所によるんじゃないですかね。

副島　これと一緒じゃないかと思います。ロシア人だって逃げたい人は国外に逃げる。ですからプーチンはエラいですよ。戦争で死にたくないのなら逃げろってね。引き止めはしない。エラいよ、あれは。

BF　そうやって問題分子を国外追放する。

副島　それがいいですね。

BF　キューバもそうしました。キューバは難民がいっぱい外国にいるでしょう。不満分子もたくさんいる。出ていきたいやつは出ていけと。

副島　ところが、カストロ首相が、海辺まで追いかけて行って、ボートで脱出しようとするキューバ人たちに、「おーい、お前たちー。愛国心はないのかー」って声をかけたって話です。「それでもやっぱり出ていくのか」と最後に聞いて。「そうか、出ていくのか」って見送りしたという。

BF　ああそう（笑）。

副島　そんなふうにキューバを出て行った者たちが、フロリダ州で一部が危険なヤクザ者になって、映画『スカーフェイス』（scarface　顔（フェイス）に切り傷（スカー）がある人たちの意味）（1983年作）になった。このキューバ難民の反共右翼たちは、ものすごく暴力的で恐れられています。

BF　なるほど。日本の場合、コンビニなんかで最初、中国人、その後他のアジア諸国の人たちが働くようになって久しいですが、なぜそうなったかと言うと、日本がちゃんと海外からの移民を受け入れないと、中国はベトナムのボート難民みたいに、たくさんの中国人を日本に送り込むぞって中国の政府関係者が言っていたんですって。

副島　ほんとでしょうね。

UN（ユーエヌ）（ザ・ユナイテッド・ネイションズ。✕国連。本当は「連合諸国」）自身が、「必ず毎年、一つの国から3000人とか5000人とかの移民（イミグラント）を、申請した人を受け入れろ」と言っています。どんどん血を混ぜろという世界政策ですね。

ＢＦ　中国も結構すごいことをやります。日本の自衛隊の参謀の人から聞いたのですが、将校になろうとして防衛大学に行った人たちの半数以上が、知らず知らずのうちに、中国人美女と結婚してしまったという話です。女性のほうが積極的で。

副島　ハニートラップか。私もハニートラップにかかりたかった（笑）。

ＢＦ　いいことないよ。私はひっかかったことあるからさ。

副島　私は奥さんと仲が悪いから。今から30年ぐらい前に、まだ５００万円あれば中国の都市の中古のタワーレジデンスが買えた時代でした。あとあとになって、あの時、中国で子供を作っておけばよかったなあ、と半分本気で思ったことがあります。夜、ホテルの部屋に泊まっていて、国家安全部（アメリカのＣＩＡに相当）の女がコンコンとドアをノックして来たら、どうぞどうぞでね。それで子供が出来てしまって。カメラで見られていようが構わない。30年前の中国では都心のタワーレジデンスが、５００万円で買えた時代です。労働者の給料（月給）が６００元（１万円）の時代です。その女性のお母さんにその当時の５００万円を持っていったら、大変喜んだと思う。今では１億円持っていっても鼻で笑われる。

ＢＦ　時代が変わりましたね。

副島　だからね、お金の価値って、その国の人しか分からないんですよ。

BF　そうそう。

副島　あの当時、私でも500万円ぐらいなら、あげられましたから。よろしくお願いします。私の子を元気に育ててください、と。だから、やっときゃよかった。「日中、愛の架け橋」と言って。あるいは、ソビエトが崩壊した時（1991年。31年前）とかね。ロシアの通貨ルーブルが100分の1に下落した。あのときオウム真理教はそれやってロシアの軍用ヘリコプターを一機買ったんですよ。

BF　白人好きな日本人だったら、ウクライナ、モルドバ、あの辺りは世界最貧の白人地帯です。金髪碧眼の肌が真っ白いのが多い。ビッグ・バイキング上がりだからね。ド貧乏だから、喜んでお嫁になってくれる。

副島　フルフォードさんは隠し子いないの？

BF　私の知っている限りではいないね（笑）。

副島　うーん。結局、私もいません。うーん。まあ、いなくても良かったんですけどね。奥さんや親戚たちとの関係で大変なことですから。自分の子供として認知した子（法律用語では婚外子と言う。私生児は禁止用語）がいるということは、現在では人非人扱いです。特に女性たちから大嫌われます。「サイテーのやつ」と。

私たちは、痩せても枯れてもインテレクチュアルズだからですよ。インテレクチュアルズというのは、貧乏人の代名詞だと最近思うようになりました。ほんとこんな商売を長いことやって、金銭面ではあまりいいことなかった。周りの人々からは、たくさん本を書いて高額所得者だと思われていますが、そんなことはない。いくら説明しても分かってくれません。まあ、いいんですけどね。今は貧乏というほどではないですからね。若い時とは違いますから。

BF　それでもハニートラップは怖いよ。例えば、ロシアのスパイの女の人は、タンポンの中にたった1発だけ、弾が入っている小さな銃を持っている。男のほうは、女がトイレ行っている間にバッグの中を確かめて武器が入っていないと安心するけど、タンポン銃で寝ている間にボンとやられて死んじゃうわけ。ハニートラップ honey trap はトラップ（罠）がついてるからハニートラップ（色仕掛け）なわけだから、やめたほうがいいですよ（笑）。

副島　そうですね。権力者たちだからそういうことがあるわけで。石原慎太郎やスポーツ選手の誰それのように、人一倍性欲旺盛の、性豪ではないからね。私程度では外国の国家情報部から狙われない。ああよかった。ここまで生き延びられて本当によかった。もう殺されない。もう大丈夫。

BF　私がまだ生きていられる理由は、主観的には、私は大義（cause）のために生きてきた。つまり、自分の利益のためではなくて、公の利益のために生きてきたからだと思っています。

副島　パブリック・ドメイン（公共領域）における善のためにですか。

BF　パブリック・グッド。グレイター・グッド（greater good）のために。そうでなければ、私に腹黒いところがあれば、そこに必ずつけ入られたはずですから。

副島　私もそうなんですね。これを日本語で言うと、おかしな風に聞こえるんですよ。自分は公共領域（public domain）における公共の善（public goodness）を追求しているんだ、と言うと、何言ってんだ、お前、みたいになるんです。簡単な英単語の組み合わせなのですが、日本人には、これが理解できない。もうひとつ、「公共の福祉」（public welfare パブリック・ウェルフェア）というのも、日本国憲法に書いてあるのですが、日本人には今もピンと来ない。福祉というと、それだけでもう貧困者や障害者のことだとしか思わない。日本の知識層でも、その程度なのです。困った国だなあ、と思いながら、私はずっと生きてきました。

　でも、もう私もこの歳になったから、私が何を言っても（書いても）そろそろ受け入れてくれるようです。ようやく。何て言うか、私ももう毒気が抜けたというか。人は何のために生きてるんだろう問題をね、今も考えますよ。自分が殺されるか、殺されないか、の時はそれだけで必死でしたからね。

第3章
日本発の情報が世界を動かす

◆現人神を作ったイギリス王室

副島　私は2022年10月に、『愛子天皇待望論』（弓立社刊）という本を出しました。ひたすら、天皇徳仁の長女、愛子がんばれ、次の天皇になれーと書いた。なぜなら、ずっと安倍晋三たち、現天皇家を嫌って対立している勢力が、天皇は男でなきゃいかんと、わんわんずっとうるさかった。でも、今年（2022年）3月17日の「愛子さま成人の記者会見」での愛子内親王が、本当に堂々と立派な対応をしたので、多くの国民が感動した。これで決まった。現天皇家が団結して勝利した。私はそう思っている。だから、皇室典範という法律をすぐに改正して「女の天皇を認める」と書き換えなさい、と書きました。

BF　日本の天皇は初代神武（紀元前660年）以来、ずっと男のY遺伝子が続いているだとかって言っていますよね。普通に遺伝率を計算すると、7代遡るだけで元の人の遺伝子は128分の1になるのにね。

副島　男にだけあるY遺伝子なんて、イルージョン illusion 、幻想ですからね。正確な基礎医学（遺伝子学）の知識に基づいている、とバカ右翼たちが信じ込んで振り回している。医者の右翼たちまで、これを言います。本当にバカですね。「万世一系」なんて、嘘を言うな、

明治天皇に仕立てられた大室寅之祐（おおむろとらのすけ）

明治天皇
（1852－1912）

有名なフルベッキ写真で大室寅之祐と見られている人物

岩倉具視（ともみ）が西郷隆盛と話してすり替えることに決めた。宮中で暗殺された孝明天皇（1866年12月25日死。36歳）の長男、睦仁（むつひと）親王（16歳で死）も病弱だったので、父の死のあと殺された。元気で体格のいい、長州（本当は南の周防（すおう）、防州（ぼうしゅう））で育てられた大室寅之祐と取り替えられた。これで明治新（しん）体制とした。

バカヤロウという話です。つながっているわけがないだろということです。

BF　明治天皇のお母さんはハプスブルク家で、この時、天皇家はユダヤ人に乗っ取られたのだという説もありますよ。

副島　明治天皇のお母さんは中山大納言家の娘の中山慶子ということになっている。この慶子が生んだ子を殺したあと、すり替えられた大室寅之祐少年の実のお母さんのことですね。日本のインテリでちょっと頭のいい人たちはみんな、今は、明治天皇は大室寅之祐という少年とすり替えられたという説を知っています。こっちが真実だ、と。元気で体格のいい少年だ。そうしないと、外国とのお付き合い（対外）で、あんまり貧弱だとみっともなくて困る。すり替え説が正しい。鹿島昇という弁護士が詳しく調べて、この真実を発掘して、本にして発表しました。大室寅之祐は山口県の南の田布施というところにいた。南朝方（反足利氏の後醍醐天皇系）の血筋とされる。

BF　その説からすると、「女系を認める」イコール「ユダヤによる乗っ取り」という話なのです。

副島　まあ、それはそれでいいです。ハプスブルク家もスペインを通じてイギリス王家とつながっていますからね。やっぱり、明治体制というのは、イギリスが全部裏から仕組んでいました。西郷隆盛でさえも、イギリスが育てていますから。西郷は愛国者（民族主義者）だからイギリスの言うことを聞かなかったから、謀略で殺された（1877年西南の役）。

BF　19世紀のイギリスの新聞記事で、「日本はイギリスの植民地になりました」と出たことがあるのですよ。その時から、日本はイギリスの隠れ植民地なのです。

副島　そうです。「隠れ植民地」っていい言葉ですね。イギリスの植民地なのに、この真実を隠している。今もずっと隠している。この大きな真実を日本の知識人層も知りません。自分の頭で考えもしない。それでこの150年間、日本は「アメリカが、アメリカが」ばっかり言うのね。それでタウンゼント・ハリスとマシュー・カルブレイス・ペリー、コモドーア（海軍提督）・ペリーの話ばっかりするの。一番悪いのはね、スペシャル・エンヴォイ（特命全権公使）で日本にやって来たラザフォード・オールコック（1809－1897）という男です。タウンゼント・ハリスなんか、オールコックから見たら、自分の手先ですからね。この初代駐日英大使のオールコックが日本の金貨（小判）を流出させて、ほとんどを自分の懐に入れた。両替商（初期の銀行家）たちを手駒に使って。

BF　そうなんだ。

副島　私は、左翼、反体制、新左翼過激派くずれですから。これまで天皇家のことは喋らない、一切触れない、書かないで生きてきた。だから右翼から狙われたり攻撃されない。だけど私の血筋の佐賀の副島氏というのは、尊王の家系なのです。天皇家尊重の家系です。有名な歴史知識です。

そうすると、私は左翼で、反体制・反権力人間だけど、尊王の家系だから、天皇家頑張れと書いているのです。ワザとそう書いています。もうこの歳だから、できることでね。いま日本の左翼勢力はほぼ全滅に近い。明らかに衰退しています。誰も声を挙げられない。

私はできる。私は明仁（あきひと）上皇のことも、美智子上皇后のことも好きですから。ただし、天皇家の人々を「呼び捨てにせよ」とこの本の中に書いた。愛子とか、雅子でいいと。今上（きんじょう）天皇などと言うな。徳仁（なるひと）天皇でいい。余計で煩雑なだけの敬語を使うな。誰も正確には使えないんだから、と。世界基準（world values（ワールド ヴァリューズ））ではそれが普通なのだ。エリザベスとかメアリーとかみんな呼び捨てですよ。

BF　そのほうが親近感が出る。

副島　そう。だから天皇家をね、自分たちの思考（マインド）（知能）の枠の外にするなと言っているのです。

BF　たしかに神格化したのがまずかったですよね。

副島　そうなんですよ。そしてね、フルフォードさん。日本の今の天皇（制）というのは、日本の古（こ）神道とか復古神道とかから生まれたものではないんですよ。古い神道（しんどう）から続いているのではない。日本の伝統が作ったのではなくて、イギリスがやったんですよ。今の天皇

（制）はイギリスが作った。
「父と子と聖霊」で三位一体、トリニティでしょう。それで何と言うのですか。父（天帝）をパッパとかパテル（父）、それからその子フィリウス（息子）、つまりイエスのこと。それからホウリー・スピリット、聖霊、聖なる霊魂。この3つでワンセットで神と決めたんでしょ。西暦325年に、ニカイア会議で。ニケーア信条ともいう。ローマ帝国の。コンスタンティヌス帝のときに、今のトルコのニカイア（ニケーア）の都市に坊主（高僧）たちをたくさん集めて。ローマ皇帝自身がそう決めた。それ以来ずーっと、キリスト教世界はこの三位一体説ですよね。そうなんだけど、ところが。1534年にイギリス国教会（アングリカン・チャーチ）を作ったヘンリー8世が、「聖霊」を外して「父と子とイギリス国王」にしてしまった。これらを神のペルソナ（位格）というのだそうですね。ペルソナ、後のパーソンです。この考え（制度思想）を日本に持ち込んだみたいです。このときイギリス国王を神の一部にしてしまった。そういうことを私は独力で探りあてました。

BF　あの人たちは、「神様は今も健在」という発想なんですよ。

副島　そうです。英国王は、だから living God です。現人神なんですよ。生きている神様。

BF　自分たちは神の代理だという発想です。

副島　いや、イギリスの場合、代理じゃなくて、イギリス国王自身が神になったということです。そして、それが今も続いている。そしてこの考え（制度思想）をそのまま日本に持ち込んだ。

だから、戦前まで日本の天皇も現人神（生きている神様）にした。イギリスが仕組んだ。何でもかんでもイギリスが本当に悪い。それとヴァチカン（ローマ・カトリック教会）です。この2つが最悪というよりも、さらに凶悪です、人類にとって。

おもしろい話があります。イギリス王室のハリー（ヘンリー）王子とアメリカ黒人女のメイガン・マークル妃が騒がれた時に、イギリス王室から、日本の天皇家に、「少しでいいから助けてください」とお願いが来た。ところが、天皇家は、「お助けできません。申し訳ない」と返事したそうです。

私は知っている。今、残っているヨーロッパ各国の王家（ロイヤル・ファミリー）というのは、イギリス王室が、自分たちが生き残るために、わざと血縁者たちを使って、王国にした。あんな、市民革命の伝統がある、オランダやベルギーやスウェーデンに国王が今もいること自体がおかしい。私は、こういう大きな事実を見抜く力を持っています。

◆日本は王様のいる国（君主政）だと日本国民が知らない

副島　ところが、私は英語でこれらの真実をサラサラと書けないから、世界に発信できないんですよ。本当は、自分で英語でガツガツ書いて発信して、これが日本発の大きな真実だ、ってやりたいんだけどね。これをできる日本人はいないんですよ。バカばかりで。だから、この役割の一部をカナダ人であるフルフォードさんにやってもらっている。日本には、実用（プラクティカル）英語だけできて、ちゃらちゃら生活英語、日常英語は過不足なくできるというお姉さんたちが200万人ぐらいいるけれど。知識人で英語できちんとした知識人英文を書ける人は今もいないんです。やたらと難解なだけの学者（学術）論文ではなくて。政治評論雑誌（高級言論誌）に、「うーん。こいつの文章はスゴい。この人は頭がいい」と読者たちを唸らせるだけの迫力のある文章を英語（及びヨーロッパ語）で書ける日本知識人はいない。遂に1人も出なかった。今もいません。まことに残念な話ですが……。

これも大きくは、ローマン・カトリックが仕組んだと思う。文部科学省を使って。おかしな英語公教育をやらせ続けた。文科省の中に、今も、カトリックの司祭が来ていて、日本の教育を監視して統制しているようです。

BF　船井幸雄さんが生前、言っていました。戦後、船井先生の家に米軍の幹部が滞在していた時期があったそうです。そのとき船井先生は、米軍の幹部に「これからこの国から天才が出ないようにするんだ」と言われたそうです。頭がいい日本人が出たら困る。日本人で一番頭がいい人間でも、自分たちより絶対、下のレベルにする。逆から言うと、一番頭のいい日本人より自分たちが必ず上に来る、という状況に常にする、という意味のことを言われた、と私に言っていました。

それでも、英語に関して言えば、いまGoogle翻訳がものすごく進化しています。最近は結構、訳が正確です。日本語で喋って、ロボットの英語にしてくれる技術も進んでいます。

副島 いや、それでもダメなんですよ。インテレクチュアル・ランゲッジというのは、その国で、学者として這い上がるか、ジャーナリストとして這い上がるかした人間でないと使いこなせない。ワンフレーズで、ガツーンと決める文章力があって、ああこの人は本物の知識人だと周りから異論なく認められる。そういう人だけがシンジケイテッド・コラムニスト（世界中の英字新聞に配信される）になれます。そういう「客観評価」があるでしょう、どこの国でも。それは外国人（エトランジェ）にはできないんですよ。ある国の、その国で生まれ育って、かつインテレクチュアルとしての修練（しゅうれん）を積んで、ベターっと何かその民族（同じ言語（ランゲッジ）を話す人たちの共同体のこと）に染みついたものを持っていて、それでドカーンとやれるだけの力、能力があること。ただし、体制側、権力者側ともつながらなければいけないから、そこが難しいのです。テレビ局やら大新聞とも。

フルフォードさんも、自分で決断して、フォーブス誌という一流の体制メディアから反体制のほうに行ってしまった人だから、分かると思うのですが。ただの反体制になってしまうと、権力者たちはもう相手にしませんですから。だから私はもうかなり前から、彼らに相手にされていません。30代まではテレビにも少しは出ていたんですけどね。

BF　私は小泉政権（2001から2006年）の時から脱落した感じです。

副島　そうですね。私の名前は電通が秘かに業界に配っているブラックリストの1ページ目に載っています。これに載ると「この者たちをテレビ、新聞は使うな」となる。本当に黒い表紙の冊子です。それでも、私には全国に読者がいます。そこだけで威張っている。

反体制、左翼の人間は「国体」という言葉を使いません。右翼しか使いません。「国体」というのは国家体制のことです。私はこの言葉を今からでも使いなさいと言っています。「国体」という言葉は、戦前に国体護持（防衛の意味）と言って、右翼以外は誰も使いたがらない。だから日本国民は「国体」と聞くと国民体育大会のことだと思っています。

私はこの国の国民を啓蒙（enlighten エンライトン）しているのです。日本国民というのは、アメリカと、イギリスとヴァチカンによって、敗戦後、徹底的に頭をやられてバカにさせられた国民です。理科系の技術者だけが世界水準で頑張ることを許された。自分の国の国家体制、国体がどうなっているのか知らないのです。自分の国がどういう構成（コンポジション、組み立て）になっているか、分かっていない。ということは、日本人という個体である自分とは何者か、が分からない、ことにつながります。

日本は明らかにキングダム、王国です。モナーキー、君主政です。外国から見たら明らかに王様の国だ。それなのに、それなのに内側から見たらデモクラシー（民主政）ということになっている。デモクラシーを日本のインテレクチュアルズは、バカが揃っているから✕「民主主義」と訳して使っている。Demos-cratia（デーモス クラティア）とは、デーモス（一般大衆）の代表たちに権力を預けるクラーティア（支配体制）のことだ。これには王様や貴族がいてはいけない。これはみんなが平等です。そうすると日本は、外側はキングダム（王国）なのに、内側がデモクラシーになっている。日本人は自分の国が何なのか分かっていない。

ふにゃふにゃぐじゃぐじゃ状態です。

日本という国は、外側から見たらコンスティテューショナル・モナーキーで立憲君主政体（りっけんくんしゅせいたい）、王様の国です。サウジアラビアやタイと一緒です。ところが内側はデモクラシーだと、皆で思い込んで、信じ込んでいる。アホの台湾人と一緒です。私は台湾に調査に行って分かりました。本当は、日本は白人文明から見れば、土人の国であって、デモクラシーではない、デモクラタイゼーションされた国。強制的に外国の力で上のほうから民主化された、疑似（ぎじ）民主政体（せいたい）の国です。

BF 私にアプローチをかけてきた中国当局の人間が、我々は「民主主義」はしません。必

今の日本の国家体制

外枠は王国（君主政（キングダム））である

ところが内側が

デモクラシー

民主政（皆、平等）

になっている

日本国は諸外国（世界）から見たら、明らかに王様のいる国だ。王国だ。

今の憲法によって2重構造（入れ子構造）になっている奇妙な国である。

副島隆彦著『愛子天皇待望論』弓立社、2022年10月刊から

要ないから。それよりも世論調査を大事にしています、と言っていました。

副島　その人は中国共産党の人間ですか。

BF　そうです。必要なのは民衆の意見を正しく把握して、それに正しく反応することだ、と言っていました。

副島　民衆（people ピーポウ）の多数意見を、統治（governance）に反映させればいいわけね。今の中国人は賢いから、制度の実質が分かっている。

BF　そう。それで逆に、「民主主義」というのは、洗脳されるからダメなんですよ。どうしても民衆は洗脳される。例えば、みんな今やっているみたいに全員マスクしている。マスクしていない人間は入国もできなくさせられる。

副島　デモクラシーは根本的に悪い面があるということですね。大きな欠点がある。形だけ民主政治にしておけば、民衆はいくらでも騙せる。アメリカのトランプが、「こんなに不正選挙をやるのなら、民主政体の基本、土台が壊されているのだから、アメリカ憲法は機能していない。憲法が停止（マヒ。termination）状態に陥っている」とSNSの truth social に書き込みました（12月3日）。

BF　本当の報道の自由があって、みんながその正しい情報にアクセスできるのならば、「民主主義」も機能しないことはない。けれども、正しい情報が隠蔽されて、嘘ばかり広まれば、機能しようがないでしょう。

副島　マッカーサーが作った日本国憲法（1947年制定）は、二重構造で、ダブル・ストラクチャーになっていて、入れ子構造になっている。だから、日本は王国なのか、デモクラシーなのかわからない。奇妙な国です。

BF　だけど、実際問題として、日本の選挙では岸信介がつくった株式会社ムサシという票集計機がずっと前から使われているから、「民主主義」も幻想です。

副島　その違法な票（ひょう）集計機を動かすコンピュータ・ソフトの名前が「ムサシ」ですね。トランプ選挙の不正選挙で有名になった「ドミニオン」の日本版ですね。グローバリー社とムサシを動かしている富士ソフト株式会社が有名です。

BF　それらによってかなり前から選挙は八百長だということを、我々は知っています。

副島　日本では、それは言ってはいけないことになっています。

BF　そうだけど。

副島　自分たち自身のことなのに、政治家たちも言ってはいけない。しゃべったら殺されるのでしょう。

BF　そう。でも事実ですからね。

副島　それを言うと、日本では枠の外の人間にされてしまう。

BF　私は当然、枠の外だから（笑）。

副島　私も枠の外です。私の弟子たちが、「先生は、もう枠の外ですから」と、私に向かって言いました。失礼な。私はそれでいいよとは思いません。私は、枠の中に入っていたいの（笑）。私はどんなに、お前は枠の外だと言われても、それで諦めないで、ぐいぐい中に入っていこうとする人間です。

BF　革命家は革命前は野宿しているけれど。革命が成功したら総理の座につく（笑）。

副島　私はそんないい思いをする気はありませんよ。もう分かっている。一生ずっと冷や飯喰いのままでしょう。政治権力闘争 Power struggle に参加してパウア（権力）を握ろうとする人間の理屈です。私も若い頃はそうだったけれど、もうジジイになったからパウアに接近する気はありません。知識人（インテレクチュアル）ですからね。

BF　そのほうが長く持つんですよ。

副島　そうですね。長持ちするには、危険な所に近寄らないほうがいい。

政体（政治体制）にはもうひとつあって、リパブリック（republic 共和政）があります。フルフォードさんはよく分かっていると思いますが、日本人でリパブリックとは何かが分かっている人は誰もいません。東大の学者でも分かっていない。

たった一言「共和政とは王様がいない政治体制」と一言で言い切れる人が一人もいない。

王様のいない政治体制。日本語にあるのは、共和国なら「子どもの共和国」、王国なら「動物王国」というコトバです。これだけはみんな知っている。それ以外の使い方は共和国にはない。誰も共和国とは何のことか知らない。

ＢＦ　日本の若い人たちが、人間牧場とか、社畜とか。そういう言葉は使います。

副島　それは言います。真実を抉(えぐ)り出すと言ってもその程度。サラリーマンなんて、みんな奴隷に決まっているじゃないか。それぐらいは日本人も分かるんです。ああ奴隷だよな、俺たちはって。

私は25年前に『属国・日本論』（１９９７年刊）という本を書いて、日本という国は、アメリカ帝国というエンパイアの属国、朝貢国(ちょうこうこく)（トリビュータリー・ステイト）、貢ぎ物を捧げる国なんだ。帝国からのおこぼれで、時々いいものをもらうこともあるけれど。帝国軍（米軍）に守ってもらえるけど。その分だけ金を払えとか、帝国の出費の分担金を出せとか、ろくなことがない。こういう**帝国—属国理論**を私は25年前に書いた。その頃は、私はまだ『正論』とか『諸君！』とか『新潮45』とかの保守派の雑誌に書いています。そこに書いたあとで、追放されたんです。こいつはどうも危ないやつだ、と。本当のことを書く危ないやつだと。それは言ってはならないのだ、と。

私はその後もずっと、世界政治でのエムパイア（帝国）には周りにトリビュータリー・ステイト（貢ぎ物を献げる国、朝貢国）がある。それが属国だ。属国は、一応独立しているから植民地ではない、と書き続けました。

だから私は、今回ロシアは再びエムパイアになったと判断しました。ロシア帝国が復活した。中国はすでにエムパイアです。

日本は、中国の歴代中華帝国の周辺の1つの国だ。中国語では帝国を「ディエグオ」、皇帝のことを「ファンディエ」と言う。ローマ帝国だとカエサル、つまりシーザーです。皇帝はローマ（ラテン）語でインペラトーレ（Imperatore）これがエンペラーになった。それに対応して東の漢の帝国にはファンディエ、皇帝がいて手紙のやり取りをしていた。ローマからも遣い（使節団）を送っています。紀元2世紀の頃です。中国の史書には大秦王安敦という名で出てきます。皇帝マルクス・アウレリウス・アントニヌス（121－180）のことでしょう。

このように、中国は世界史において堂々と、ずっと東西の2大帝国でした。それが今、正当に復活しつつある。

これを右翼で、アメリカの手先の日本人がいくら嫌がっても無駄です。その頃、日本はまだ鬼ヶ島と言われていました。中国語で、シャオリーベンと言います。「小日本」です。日本人のほとんどはこの言葉を知りません。米語の軽蔑語 Jap ジャップみたいなものです。

そして、トンヤンクイズウと言うんです。「東洋鬼子」と書きます。リーベンクイズ「日本鬼子」（鬼っ子）とも言います。この「東洋（トンヤン）」というのは、西洋―東洋と言うときの東洋ではありません。日本人は自分は東洋人だと思っていますが、英語で東洋（ザ・イースト）というのは、インドと中国のことですよね。「東洋鬼子」の東洋とは、中国の東にある大きな海という意味で、太平洋のことです。日本なんて、中国の東に広がる太平洋（パシフィック・オーシャン）の上に浮かぶ、チビコロの鬼たち（原始人）が住む国だ、とずっと考えてきた。それが、国力が衰えたときの中国を侵略したからビックリした。本当に悪いのは欧米白人だと、中国人は知っています。

BF 私は中国に行ったとき、いろいろ中国人に取材して、日本人についてどう思うかと尋ねました。圧倒的に多かった答えは、日本人はアジア人であることを忘れている、というものでした。

副島 それは日本が初めイギリス、そしてアメリカの子分になっちゃったということなんですね。

BF そう、まあたぶん明治以降でしょう。

副島 だからイギリスがやったんです。それから77年前の、第2次世界大戦で負けた後は、アメリカですけど。

BF　私は第2次世界大戦の時、一時期、日本は独立しようとしたんじゃないかと思うけど。

副島　まあそうなんだけど。それを大東亜共栄圏（ゼ・グレイト・イースト・エイジア・コウプロスパリティ・スフィア）とか、八紘一宇と言うんです。くだらない、空威張りのインチキ小帝国です。欧米に対して、民族を自衛するのだ、という感情だけは本当だったのでしょうが。きれいさっぱり打ち破られました。

◆日本人は勘だけは鋭い、洗練された民族

副島　日本にとって、今回の安倍晋三殺し（7月8日）は深刻な問題ですから、話を戻します。ただ誰ももうこの問題に触れたがらない。関わりたがらない問題になってきた。安倍勢力もまだ500万人ぐらいいます。創価学会も500万人ぐらいです（選挙では700万人）。日本は1億2000万人の国です。本当は毎年毎年どんどん人口が減っています。真実は毎年100万人ずつ、日本人は減っている。結婚しない、子供を作らない人がものすごい数で私たちの周囲にいます。

　右翼に対抗する私たちの勢力は、リベラル派、及びレフトウィング（左翼）、かつアンチ自民党で、アンチ・エスタブリッシュメントの勢力は、一応、本を買って読む人たちで、ま

あ200万人ぐらいでしょう。これはフルフォードさんの本の読者たちも入れて、200万人ぐらいがいいところ。冷酷に言ってこうなります。明確な自民党支持層は1000万人。その中核である反共右翼の安倍晋三勢力が500万人います。しかし統一教会員はわずか60万人です。この数字は日本の政治警察（警察庁警備部公安課）が把握しています。ID（個体識別）もできている。組織暴力団員の正式組員（チンピラとか含まない）12万人よりはずっと多い。これが日本の反共右翼の中心部分です。アンタイコミュニスト・ライトウイングですからね。かつ奇妙な政治宗教団体です。

では、この統一教会をいったい誰が作ったんだよという話になる。根拠と証拠はあまりないんですが、やはりローマン・カトリックとCIAが作った。

BF　そうそう。統一教会という名前からして、ローマン・カトリックと、2000年前からある、世界帝国を作るというローマ帝国の計画だと言っていいと思います。たった1人の皇帝を世界の指導者にする。エンペラー・オブ・ザ・ワールドにする、世界帝国建設プロジェクトです。統一教会はその手先であると言われています。

副島　教祖の文鮮明（Moon Sun Myung 1920-2012）の義兄弟が、金日成です。文鮮明は金日成と仲が良かった。文鮮明はもともと北朝鮮の人ですからね。統一教会は、突き詰めると金日成主義者ですね。おかしなことに。反共右翼なのに、窮極では、奇怪な朝鮮民族優等（選民）思想の金日成主義カルト集団になる。別名を「主体（チュチェ）思想」と言います。

そして、文鮮明の日本の義兄弟が、岸信介です。その孫が、この度殺された安倍晋三だ。そうすると、極東（ファー・イースト）で出来あがった気色の悪い宗教団体だけど、これが「反共の防波堤」の役割を果たしてきた。バルワーク・アゲインスト・コミュニズム Bulwark against Communism ですね。この「バルワーク」という英語を日本人は誰も知りません。この防波堤という言葉は知っているのに。そして、自分たちは、反共の防波堤だ、と自覚している人間が日本に５００万人いるのです。

おそらく、ドイツとポーランドにも各々、これぐらいいるでしょう。ウクライナにそれが４００万人（人口４３００万人のうち）いることが判明しました。彼らがゼレンスキー政権を強固に支えていることが分かりました。

ＢＦ　創価学会も、もともとは共産主義と戦っていました。

副島　そうです。反共です。その役割を担って、日本共産党の支持層であった最貧困層の日本人３００万人ぐらいを、創価学会が奪い取った。実に計画的でした。

ところが、その教祖の池田大作は、ロシアや中国に行って大歓迎されている。米ＣＩＡは、池田大作をロシア（旧ソビエト）のスパイだ、と認定しています。これが不思議な点で、私は今もこのことを思索中です。

BF　問題はそこなんです。私がヴァチカンに行って、P2フリーメイソンの人間と会った時に、彼は、「共産主義を作ったのは自分たちだ」と言うのです。

副島　西洋白人は、時々、特殊なわけの分からないことを言って、話をひっくり返します。そういう言語のテクニック（技術）を持っている。ロジック（論理）を自分でひっくり返す。

BF　いえ、彼が言うのは、わざと敵対する勢力を作り、両方から圧力がかかるようにするというやり方を、自分たちはしている、ということなのです。

副島　それは確かですね。デヴァイド・アンド・ルール「分断して統治せよ」ですね。

BF　そうそう。そのへんは、ややこしい。

副島　それでいいんです。思考の骨格というか、基本線の理解のところで、私はわりと単純に「シンプル・イズ・ベスト」です。〝ノミナリスト（唯名論）の侠将〟のウィリアム・オッカム主義者ですから。立場を右と左に分けたら、もう右か左かのどちらかです。ところが、右だけど左で、左だけど右なんだとかに必ずなる。すると読者を説得できない。お客様のために言論活動をやっているわけですから。

BF　私が悪魔崇拝のハザールマフィアという言葉をわざと使っているのにはわけがあって、要するに、分かりやすい敵を作らないと読者が消化不良を起こすから、ということがあります。

本当は敵の中も一枚岩じゃなくて、割れていて、かなり複雑なんですが。

副島 そのとおりです。私もさっき、日本は王国（天皇という王様のいる国）なのにデモクラシーでもある、とか、ごちゃまぜの理屈（分析）を言いました。すると、もう日本人の頭では付いて来れない。今も、安倍派＝統一教会は反共右翼なのに本当は北朝鮮主義者だ、となる、とか。これで混乱が起きる。だけど、本当の本当は、ものごとはこのように常に複雑です。それでも、やっぱり、フルフォードさん、アドバイスしておきますけどね。あんまり複雑に、右だけど左、左だけど右と言っていると、読者が離れていきます。日本国民の理解者が離れていきます。フルフォードさんがまた奇妙なことを言っていると。

BF まあそれはわかる。

副島 私はフルフォードさんが、鋭くこの世界の大きな真実を突いて、それを表面に抉り出しているのだと分かります。だから尊敬しているのです。

日本人は土人でバカで、世界基準から見たら知識がない。だけれども、勘だけは鋭いんですよ。どういうわけか知らないけど。

BF わかりますよ。

副島 勘が鋭くて。この人たちをじっと見ていると、何ですかね、どこか異様に洗練（リファインド）されたヘンな民族なんです。

ＢＦ　いやわかりますよ、それは。だから、私の今のメインの仕事は、日本人が長年欧米を外から研究して見えたその見方を、逆に欧米に紹介することによって、欧米人の間に革命を起こそうとしているんですよ。えっそうなの、そうだったのか、というショックを実際に欧米人に与えているのです。

副島　そうか。そうだったのですか。ようやく分かりました。フルフォードさんの国際ジャーナリストとしての意欲と決意が。逆に日本から世界に影響を与えようとしているのですね。日本から世界に向けての知識、情報発信というのは、本当に資源豊か（リソースフル）なんですね。

そこに私もお手伝いしたいですよ。私は英語で書けないから。フルフォードさんに書いてもらいたい。副島という男が日本にいて、こういうことを言っていると。

私は「日本はすごい」主義者じゃない。その反対です。それでもやっぱり日本のすごさというのは有る。例えば、Microsoft のビル・ゲイツでも、Amazon を作ったジェフ・ベゾスでも、Google を作った男たちでも、誰でもいいけど、彼らのもともとの技術のうち、日本人が作ったものがかなりあります。例えば、ウィンドウズ Windows の、例の、窓（ウィンドウ）がパカパカ飛び出す技術も、元は名古屋大学の大学院生が2人で作った。あとソニーの技術屋が作ったアイポッドみたいな、曲が1万曲入る技術とか。ここから Apple のスティーヴ・ジョブズの技術が生まれました。本当はもともとは日本人が作ったんですよ。それをみんな泥棒された。特許のところでも泥棒された。そういうふうに、エンジニアの人たちで、日本には世界水準のすごいのがたくさんいるんですよ。ほんとにいる。彼らはちっとも恵まれていない。企業の研究所にずっといて、定年になって年金暮らしです。貧乏のまま死んでいきます。かわいそう。可哀想なんだけど。なぜそうなるかは、帝国―属国の、属国だからですよ。仕方ないんです。技術と頭脳とアイデア（観念）は帝国に流れていくしかないんだ。

　あのですね。帝国（エムパイア）とシヴィライゼイション（文明）は一緒なんですと。古代帝国があるところで文明が生まれました。文明（シヴィライゼイション）と帝国は一緒です。残りの属国（家来の国）にあるのは、文化（カルチュア）です。それぞれの国民文化だ。この文明と文化の違いも日本人は誰も知りません。帝国（エンパイア）に、周辺の属国群から、最高技術と、最高頭脳と、きれいな女たちがみんな集まってゆく。

BF　だけど今その帝国が崩壊しようとしている。

副島　そうです。帝国が崩壊するのは分かります。私は15年まえから、簡単に簡単に、たいした根拠もなく、次の世界覇権国（ヘジェモニック・ステイト）は中国だろうと書き続けてきたの。

BF　私の見方でも、たしかに中国が覇権を握るでしょう。ただ、中国には少子高齢化問題がある。それから、成長の楽な部分はすでに終わった、という負の面があります。

これまでは、他の国が歩んだ道を、そのまま真似して歩めばよかった。それが他の国を追い越してしまうと、今度は前人未踏の領域です。そこをお手本なしで新しく開拓していかなければならない。そこで中国は、これまでまったく知らなかった壁にぶつかっているというのが私の理解です。

中国は（ヨーロッパが近代に突入する西暦１５００年代の前の）火薬、羅針盤、印刷術は中国の３大発明だと言って威張ってきた。けれども、ではそのあとの５００年間、世界を動かした中国の発明が何かと言えば、何もない。今もない。インターネットとかコンピュータとか携帯とか、そういう系の発明は中国からまだ出て来ていない。

副島　半導体もみんな西洋の真似ですね。

BF　だから今、壁にぶつかっているのよ。日本は違う。日本はこの間も、それなりの発明をしている。半導体の部分でも。

副島　でも、今から中国からすごいのがどんどん出てきていますよ。クアンタム（量子quantum）コンピュータを使った、クアンタム・サイファー・コミュニケーション（量子暗号通信）で、中国が欧米を追い抜いたようです。これは軍事通信の最高技術です。ここで勝てないと中国は負ける、とよく分かっている。ロシアがウクライナで緒戦（戦争の始め）でボロボロにやられたのは、待ち構えていた米軍の軍事衛星技術とＡＷＡＣＳによる通信傍受でしたからね。ロシアはここが遅れていました。

徹底的に、中国人は、あらゆる分野に着々と食らいついて行ってますよ。ここはね、あまり東洋人を舐めないほうがいいですよ。HUAWEIとかもね。

BF　舐めてはいないですが。

たしかに、中国の経済運営のモデル（方式）のほうが欧米のそれより優れている。だから経済成長は中国のほうがずっと速い。私がずっと言っているのは、中国の経済モデルは、歴史を遡ると、もともとナチスドイツが開発した経済モデルです。日本帝国はそれを真似して、改善した。今それをシンガポールや中国が真似してやっている、というのが私の理解です。この優れた経済成長モデルが、日本では解体された。

経済企画庁とか、５か年計画などで、これからどういう未来を作っていくのか、具体的なプロセスが明記されたプランがあるところのほうが伸びるのは当たり前ですよ。そうすると、例えば時間が経てば経つほどアジアのほうが強くなって、西側は弱くなる。西側が経済運営モデルを、一部の民間人が握っている中央銀行から、そういう官僚組織に移転しないと追い抜かれると言ってるわけです。経済全体の規模で言っています。日本の研究所や大学の文化は、依然として儒教的というか、敬老の精神のほうが強すぎる。これでは、18歳の天才が世界に羽ばたくチャンスが足りなすぎる、と私は考えています。

副島　日本は本当にダメですね。このままもっと衰退しますね。韓国どころか、遂に(つい)最近、1人当たり(パー・キャピタ)GDPで台湾にも抜かれました。このことを自民党と官僚たちが隠して議論しようとしない。

中国については、フルフォードさんも私も外国人だから、中国を内部から見てないからね。

BF　まあね。

副島　ここではやっぱり、ご意見になっているから、あまり言ってもしょうがない。ただ日本のことになると、私は本気になりますね。日本語でしか考えられないのですが。近代以降(モダーン)（すなわち1500年代からの大航海時代(ザ・グレイト・ナヴィゲイション)以降）の欧米白人とのこの500年間の、劣勢というか、支配、抑圧というか、ずっと負けてきた歴史がありますから。中国もそうです。そこを取り返そうと思って必死で努力してきた。ここで欧米白人みたいになろうと思った日本人がいっぱいいるわけですよ。

BF　そうですね。白人みたいになりたいと思って、英語もずっと勉強して、白人としか付き合わないという日本人が結構いますね。

副島　私もそうでした。35歳までは、アメリカ人とかイギリス人、オーストラリア人の女の人と付き合って。くっついて結婚して、私が書いた英文を、頭のいい奥さんに書き直させて、それを次々に発表して、それでなんとか世界基準の知識人になりたいと思っていたんですよ。『武士道（ブシドウ）』を英語で出版した（1908、明治41年）新渡戸稲造（にとべいなぞう）が有名だが、あれはアメリカ人の奥さんが偉かった。古典ギリシャの知識を日本人があんな風に織り交ぜられない。ところが、私が英文を見せたら、鼻で笑われて。「アメリカの中学生の文章だ」と言われたのね。ショックでね。ダメだこりゃ、やめようと思った。つまり、いくら書いてもダメなんですよ。日本の裏側の真実はこうだとか英語で書いてもね。お話にならないの。いくらリライトしてもらっても。

BF　やっぱり外から見る目線が、そういうところは大事なんですよね。

副島　それがわからなかった。35歳まで。これは結局、上と下の問題なんですよ。フルフォードさんは上から下に落ちてきたから日本が丸見え（まるみ）に見えるんですよ、外側から。冷酷に。ところが土人（どじん）ちゃんはね、下から上のほうに這い（は）上がって行かなければならないから、大変なんですよ。White Gods（ホワイトゴッズ）ですからね。白い神さまが天から降りて来るわけです。恐ろしい巨大な鳥（ガルーダ）に乗って舞い降りて来る。西暦700、800年代に中国に行った遣唐使も同じです。その遣唐使にくっ付いていった若い坊主たちが、日本で最高の秀才たちでした。空海（弘法大師）とか最澄（伝教大師）とか。彼らは日本国が文明国（帝国）に送り込んだ国家スパイですからね。国家を背負っている。帝国の文物のすべてを盗み取って来ないといけないのです。優れたものはみんなあっち（帝国）にありますから。必死で学んでいくしか他にやることがない。ただし、このことは今も言ってはいけないことになっていてね。国費留学生というのは、一番上は国家スパイたちです。これは劣等感、inferiority complexです。この劣等感問題は、あまり書いてはいけないことになっていましてね。

BF　自分のことを言うと、私は、のちになってだんだんと日本に同化していったのですが、その前の、まだ外人外人していた時の感覚では、日本人は外国人に対して、優越感と劣等感が共存していると見えました。そして、この感覚は案外正しいと思いました。つまり、日本人のほうが、部分的には断然優れているわけです。例えば、腹芸とか観察力とか、いろいろあるのです。

副島　へー、やっぱりそうですか。腹芸っていい言葉だね（笑）。実にいい日本語だ。

BF　でも逆に理屈と屁理屈とかは欧米が上だったりする。いろいろあります。

副島　どっちが上かとか分かるんだ。そうなんですよ。フルフォードさんには、すぐに、この議論ではどっちが上か（優れているか）が、分かるんですね。日本人はそれができない。土人なものだから、自分が偉いと思っている（笑）。自分がバカだと気づかないんですよ。

BF　今はそういう感覚はないけど。でも正直言って、日本のその対欧米感覚が、いま欧米では革命を起こしてるんですよ。

副島　それは私には実感できないです。しかし、きっとそうでしょう。スゴいことですね。

BF　例えば、20年前、私が英語でこういう活動を始めた時、「ロスチャイルド」という言葉をインターネットで調べたら、全インターネットでたった1行しか記述が見つからなかったんです。イスラエルの国内のチャッティングボードで、ロスチャイルド家はイスラエルの建国に貢献した、という1行しかなかったの。

今はもう何千万行も詳しい記述がいくらでも読めます。だから、当時は、日本に来た欧米白人に、あなたたちの指導者はロックフェラーやロスチャイルドですと言っても、何それ？という感じで、みんな知らなかった。それが今では、みんな知っていて、「そうか、そういうことだったのか」と怒って、革命を起こそうとしている。これはもともと日本がやったことなんですよ。

副島　言論の自由、freedom of expression が日本にはあるんです。それはなぜかというと、日本国憲法第21条に、「その他一切の表現の自由は、これを保障する」と書いてあるんですよ。これはもの凄いことです。それで権力者、支配者側が放ったらかしにしたからです。日本では何を言ってもいいんです。個人の私生活以外だったら何を書いてもいい。

その代わり、誰も相手にしない。お前が何を書こうが自由だ。しかし相手にしないからな（完全無視）、と無視されます。これが、本当にすばらしいことだったんですね。

ＢＦ　本（書籍）を出せることが助かる。要するに単行本を出す出版社があることです。雑誌とかテレビは、広告を通じて電通の圧力がかかる。圧力にはいろいろある。だけど単行本は自由だったから、いくらでも書ける。こういう状況が続いている。

副島　そう。まったくそう。だから、私は生き延びられたんです。単行本を書くだけで生活ができて、なんとかご飯を食べられた。

◆戦後日本の自由な言語空間が欧米に逆に影響を与えた

副島　フルフォードさん、だからね、どこの国でも言えることだろうと思いますが、日本にも、柔らかいところと堅いところがある。表現の自由 freedom of expression（フリーダム オブ エクスプレッション）という英語の言葉をちゃんと知っている日本人はいないのです、ホントに。ところが、この表現の自由をいくらやっても、権力者がいじめないヘンな国なのです。

ＢＦ　私の経験では、むしろ英語圏のほうが言論の自由がない気がする。以前、英語で本を出版しようと思って、フランクフルトのブックフェアへ行きました。そこは世界の業者さんが集まって来るので、11社が私の英語の本を出版したいという話になったのです。その中には大手5社も入っていました。それなのに、みんな上から潰されました。最後にアリゾナのダンディライオンプレスという会社が出版するといってがんばった。そうしたら、その出版社のすべての銀行口座が凍結させられた。私の本を英語で出版させないようになっている。助けてくれたのがNSA（エヌエスエイ）でした。

副島　NSAは、National Security Agency アメリカ国家安全保障局ですよね。アメリカ海軍系だ。CIAと競争している。というよりも、闘っている。NSAが世界通信網を握っていますね。

BF　そう。ネットでは今も自由に書ける。Google の YouTube はだめだけど。他のブラウザでは私は自由に喋れるわけ。だからそれで助かった。私の英語版メルマガはいま月間5000万の人が見ているから。しかもかなりエリート層の人が見ている。それでいまは助かっています。日本のほうが言論がこんなに自由だということを私は知らなかった。

副島　英語では本にはできないんだ。

BF　そう。大手出版社自身が、他の大資本の傘下（さんか）なんですよ。あるスイスの学者が分析したところ、多国籍企業の取締役の9割は、同じ人たち700人で構成されていたといいます。同じ人物が複数の会社の取締役をやっていて。その上にいるのは、ロックフェラー、ロスチャイルドなのです。要するにこの種のことに触れてはいけない。それに私が触れ出したから、私自身がタブー視された。逆に一般欧米人は、それまで知らなかったんですよ。自分たちが奴隷であるということを。自分が奴隷であることが分からない奴隷ほどいい奴隷はいない。これこそはあのエリートたちの帝王学ですから。

副島　そうです。だから欧米白人文明は、カトリックのお坊様が威張っていて、お坊様の下に大学教授がいる。この体制がガチッとしているから、インテリ intellectuals になっていくためには、お坊様の資格か学者の資格がいる。今の日本には、ないんです。日本はね、誰でも本を出せるんです。ヘンな国なの。本は出せるのだけれども、日本のエスタブリッシュメントからは相手にされない。相手にしないことになっている。ただ、相手にしないというだけで、だから逆に捕まったり、殺されることもない。

BF　英語で、「オヴァートン・ウインドウ（Overton Window）」という言葉があって、要するに公（おおやけ）で話していいこと、例えば日本でいうとNHKとか新聞の評論とかの枠があるわけです。例えば、ジェフリー・サックスとか、ああいう学者たちは、その枠の中でしか議論できない。そうしないとご飯が食べられなくなる。そういうお金を牛耳っていることが秘密の帝王学だった。そのことが今ではバレているから、欧米全体が革命寸前の状況なのです。

副島　今、フルフォードさんが言った公（おおやけ）というのは、public パブリックのことですよね。パブリックというのは、「人々が見ている前で（公共の場で）」という意味ですよね。ところが、このことを日本の知識人層が知らない。公（おおやけ）と言うと、何か、公儀とか言って、国家体制のことだと思い込む。今でもその程度です。

だけど、欧米に比べて、階級（class クラス）の締め付けが緩いです。「天皇陛下以外は、皆、平等」という感じです。ですから、高等教育（高学歴）を受けていなくてもあまり差別はありません。本を出せます。ただし、それがヒットして、売れた者（物）勝ち、です。

ふと、思いついたのですが、もしかしたらフルフォードさんが最初にお付き合いになった宇野正美（1942－　）と、太田龍（1930－2009）が偉かったのではないか。あの人たちから日本のコンスピラシー・セオリー・ムーブメントが始まりましたから。

BF　太田龍先生とは、どこかの講演会で初めてお会いしました。龍先生は戦前戦時中に日本帝国軍とか、日本の当局が始めた欧米研究の資料をもらって、その後それを本にして出し始めた。それで私の役割は、そういう系列の情報を英語の世界に紹介することでした。そうしたら英語の世界が、それに対して What the fuck っていう現象を見せることになったのです。

副島　フルフォードさんの英文情報に、「なんという馬鹿なことを書くやつだ」とカッと怒った、ということは、その内容に驚いた。そして、本当はそうなんだよな、と納得、受け容れが始まった、ということでしょう。それまでは彼らには実感として分からなかった。

BF　例えば、あなたたちの指導者はデイヴィッド・ロックフェラーです、と最初言われた時に、オマエは何を言ってるんだと思う。フォーブスの番付で高々（たかだか）３００位ぐらいの人だ。もう過去の人じゃないかと。どうしてそんな人が全体のトップですかと思う。

副島　単に、スタンダード・オイル会社（１８７０年。今のエクソン・モービル。ドレイク大佐（カーネル）による石油の掘削成功は１８５９年）を作っただけの一族じゃないか、と。

BF　それが独禁法で解体されて（１９１１年）終わったようなものじゃないですか、と。ところが、太田さんに言われるままに調べてみたら調べるほど奥が深くて。ロックフェラー１世がすでに当時で３０００億ドル、今でいうと４００兆円ぐらい持っていた。とにかくとんでもない富を持っていた。そのあと、急に貧乏人になったということになっているけれど、全部財団（ファウンデイションとトラストの２つ）に寄付したことになっているだけ。始めはロックフェラーの名前がついた財団が２００以上ありました。

副島　巨額の相続税（ヘリテージタックス）の問題があったからだ。

BF　ところが、このあと連邦議会が法律を通して、情報公開をしなくてもよくなった。それで、財閥たちは相続税を払わなくてよくなった。そしてこれらの財団がすべての上場企業を管理している。それが隠れ独裁体制です。「民主主義」はただの一般人を騙すからくりになった。それ以前はまだ「民主主義」とかいうものがちゃんとあった。それがじわじわとこの連中に乗っ取られた。そのことに気づいた軍人やその他の人たちが激怒し始めた。それで、欧米では革命気運が、今すごく高まっているのです。

教育レベルが高ければ高いほど洗脳されています。今でも覚えていますが、私がカナダの一番の大手新聞である *The Globe and Mail* の編集長と9・11について話していたとき、最初は（9・11の）ワールドトレードセンタービル倒壊の不審点を話していた。けれど、途中から彼は、いや私はやはりアルカイダがやった犯行だと思うと言い出した。よく話を聞いてみると、やっぱり自分の生活がかかっていて、守らなければならない家族もいるし、それを全部捨てるわけにはいかない。言われた通りにやってるんだよ、と認めてくれた。

◆欧米エリートの洗脳機関としての学生クラブ

BF　結局、みんなご飯が食べられなくなるから、会社が言うとおりにやっていただけで、大元はお金です。それで私がたどり着いた結論は、そういう影響を受けないで済む独立系の個人メディアをネットで立ち上げることでした。それで自分は蚊帳（かや）の外でもご飯が食べられるようになった。今、そういう人が増えています。

副島　私もそうです。私も38歳ぐらいで、なんとか本と原稿収入で食べられるようになった。それで、結婚して子供を作ろうと思った。38歳のとき、自分は何があっても物書き（評論家）で生きてゆく、と決心しました。そうしたら、胃腸の調子がよくなって、神経性の胃潰瘍が治りました。

フルフォードさん、蚊帳って何だか知っていますか。私は九州出身だから子供の頃にあったんだ。

BF　モスキートネット。

副島　そうです。あれないと夜眠れなかったんですよ。蚊が飛んでくるから大変だった（笑）。

アフリカには日本人は自分の蚊帳をもっていくらしいです。それがないと恐くて眠れない。

BF　私は、アマゾンで初めて寝た夜に、蚊帳があったけれども、床の地面との間にすきまができていて、朝になったら蚊帳の中が蚊でいっぱいになっていて、恐ろしい一晩だった。あれから下もちゃんと閉めるようにしたんですけどね。蚊帳の外の恐ろしさを思い知りましたよ。

副島　アマゾンのどのあたり？　マナスルとかあの辺ですか。

BF　ペルーの北のウカヤリ川のプカルパという町の郊外のシピボ族の集落です。ペルーだけど、アマゾンの上流です。そのシピボ族はもともと人肉を食らう部族でした。私が17歳のときのことです。

副島　しばらくいたんですか、そこに。

BF　ええ。私はヒッピー世代で、ヒッピー世代はみんな、洗脳されるから大学には行くなというのが合言葉みたいなものでした。それで私も、文明に洗脳されないように文明から逃げようとして、最初、大学には行かなかった。世界中まわって、放浪の旅をして、文明の外で暮らした。だけど、やっぱり大学に行ったほうがいいと思い直して、上智大学とそのあとブリティッシュ・コロンビア大学に行った。そうしたら、結果はやっぱり洗脳されてしまったんですよ。それでずっと洗脳されたままでした。9・11がきっかけで洗脳が解けたけれども。

あの洗脳の仕方はすごいですよ。大学のレベルが高ければ高いほど、同一の思考回路になる。同化されるのよ、みんな。

副島　まずプレッピー・スクール（エリートの進学校）を出た一番頭がいい連中がね。

BF　そう。この人たち、完全に代替可能なんです。ほとんど中身が同じだから。日本でも女性で英語ペラペラでアナウンサーやっている人とか、結局そうなのよ。

副島　そうでしょうね。彼らと彼女ら（ソロプチミストに属する）は、学生時代から、留学先で特別な学寮生活を経験しますからね。

BF　全部同化されていて。同じ情報を、もう何十年もかけて、この人たちの頭の中に詰め込む。だからみんな同化されてしまうのよ。

副島　私にとっては、今でも重要な記念碑的な作品が、ジョン・ベルーシの、映画『アニマル・ハウス』（1978年）です。ハーヴァード大学のロースクールで、フラターニティ（男子学生クラブ）のエリートたちの話です。女の学生たちはソロリティ（ソロプチミスト）ですね。大学の学寮（ドミトリー）です。男子学生の特権的な、秀才しか入れないフラターニティ fraternity といって、入学した当初からもう儀式があるんですね。

BF　そうそう。

副島　それをジョン・ベルーシという喜劇俳優が監督して自ら演じた。大変な作品ですよ、でも。日本版では、その儀式の部分が全部カットされている。2020年のトランプのアメリカ大統領選挙のときによく分かりました。法学部へ行ったエリートたちで、最初からエリート裁判官になることが決まっているような人たちはみんな、初めからここで脳をやられるんですね。

BF　その通りです。それで「スカル・アンド・ボーンズ」に入るとですね。

副島　イェール大学の「スカル・アンド・ボーンズ」。

BF　あれに入ると、一生お金がもらえるわけですよ。生活に困らない。儀式は同性愛の乱交パーティー、とか。そうすると、必ず、裏切るとバラすぞと脅される。写真もいっぱい撮られているから。

副島　裏切ったら殺されるんじゃないですか。オメルタ（Omertà 血の掟）というのがあります。

BF　そう、消されます。抹殺される。

副島　儀式があってね、それで日本でも殺されている知識人たちがいるんですよ。ヘンな死に方をして初めてわかる、秘密結社に入ってたんだと。たとえば、江藤淳（1932－1999）という大変有名な文芸評論家がいました（7月21日。66歳で死）。私も尊敬していて、彼の著作を20冊ぐらい読んだ。江藤淳は、鎌倉の自宅で応接室のテーブルの上で大の字で死んでいた。オルメタで腹を十字に切られていたらしい。警察はすぐに自殺ということにした。江藤は慶応大学教授をしていて、30代の若い頃から、その才能を見込まれてハーヴァード大学やワシントンのウドロー・ウィルソン研究所に研究員として長く滞在しました。江藤淳は愛国者だったので、真実を書いたので殺されたのでしょう。彼がずっと書いていた文藝春秋、新潮社を筆頭とする日本の大出版社たちは口をつぐんで何も言わない。あれほどの大作家だったのに。私は鎌倉に住む江藤淳に近かった人たちから、いろいろ聞いています。

日本版では儀式の部分がカットされているジョン・ベルーシ自身が主演の映画『アニマル・ハウス』（1978年）

ジョン・ベルーシ
（1949－1982）

アメリカの天才的喜劇俳優だったベルーシは、わずか33歳で死んだ。彼は、移動劇団のスタンドアップ・コメディアンから始まって、「サタデイナイト・クラブ」で大ヒットした。ベルーシはこの映画で、ハーヴァード大学などのエリート大学の学寮（ドミトリー）で行われている秘密の儀式（ライト）を描いた。今でも重要な名作である。

BF　私も結構、仲間が殺されましたよ。

副島　ああ。だから恐ろしい世界だから近づかなくてよかった。近寄ることもできなかった。少し話は聞いていますが、やっぱり命からがら組織から逃げたという人たちっているんですね。ただ喋れないですよ、怖くて。いつ殺し屋が、ヒットマンが来るかわからない。

BF　僕も暗殺未遂がいっぱいあります。大きなものだけで6回。軽いのを入れればもっとあったけれども。

副島　最初は9・11（2001年）の後ぐらいですか。

BF　そう、一番最初はサハリンで。

私の仲間で殺されたのは、フォーブス（誌）時代のモスクワ支局長でポール・クレブニコフという人です。私は東京アジア支局長で。彼がモスクワ支局長でした。彼は、ロシアのベルジョウスキーとかのオリガルヒのことをいろいろ暴露していました。そしたら、2004年7月9日の朝、自分のアパートで、9発打たれた。でもまだ死ななくて、だけど、救急車が来るのに1時間かかって、それでも生きていた。今度は病院のエレベーターに入ったら、エレベーターが8分間止まって、その中で死んだの。

その頃はちょうどブッシュ政権で9・11の後なんですよ。あれはナチスのクーデターだった。あの時から、大手マスコミにいた、本物のジャーナリストはほとんどみんな殺されるか、

2001年の「９・11」の後、大手マスコミにいた本物のジャーナリストは何人も殺害された

ポール・クレブニコフ
（1963－2004）

『フォーブス』誌のモスクワ支局長をしていたポール・クレブニコフは、2004年７月９日の朝、自宅アパートで９発を撃たれて、病院に搬送された。救急車が来るまでに１時間かかった。ようやく病院に到着してエレベーターに乗せられたが、エレベーターが８分間停止して動かなかった。最後はそのエレベーターの中で絶命した。

蚊帳の外に追い出されていますからね。
私もフォーブスにいた時に、パキスタンに行ってくださいと言われたことがあって、なんとなく行きたくない気持ちがして、行かなかったんですよ。その代わり、ウォール・ストリート・ジャーナルの人が行かされた。そしたらやっぱり、その人は頭を切断されて殺されました。
そういうことがあったから、みんな黙っていますが、私は、軍産複合体（ミリタリー・インダストリアル・コンプレックス）の良心派もおかしいぞと思っている。

副島 欧米のジャーナリストたちは本当に殺されるんですね。本気で事件の真実を探る人は殺される。調査報道（インヴェスティゲイティヴ・ジャーナリズム）をする者は殺される。日本でも本当は、新聞記者や雑誌記者たちが変死しています。ほとんどは自殺か事故死扱いです。
ところで、キッシンジャーが、あなたの言う軍産複合体の良心派になっていますよ。

BF そうかな。そうならいいのですが、私の認識ではキッシンジャーは良心派には入っていない。

副島 私も、2016年のトランプ当選まではキッシンジャーが大嫌いでしたからね。そのあと彼への評価が変わった。キッシンジャーの考えは、世界を暴走させるなでしょう。核戦争を食い止めること。これがキッシンジャーの自分の人生１００年（今99歳）の祈りであり、請願成就です。統一教会やゼレンスキーみたいなやつらも処分しなきゃいかん、と。大きく言えば簡単な理屈です。大き過ぎるから、みんなが分からない。私は日本で国家戦略家（ナショナル・ストラテジスト）を自称しているので分かります。キッシンジャーという男は、とにかく核戦争を起こさせるなと。中国やロシアとも折り合いつけながら、なんとか世界を運営せよ、という思想です。

ＢＦ　そこはそうだと思います。

副島　そうするとキッシンジャーたちディープステイトの中の穏健派（良心派）にとっては、あるレベル、ある段階を越えたらもう許さない、ということです。だから安倍晋三の抹殺を決定したのもこの人たちだ。安倍が核兵器を実際に秘密で作り始めたからです。だから最高権力者たち（カバール）まで根回しをして決めた。

だからいい言葉ですよ、今フルフォードさんが使った、良心派、穏健派という言葉。私もようやくその言葉に到達しました。ディープステイト穏健派。カバール穏健派。カバールにまで穏健派がいるかどうか、まだ分からないけど。

◆モレク神を崇拝する人たち

BF やっぱり問題は、これまでずっと言ってきたチャバドというユダヤ・カルトです。もともとユダヤ人の中では、サバテアン・フランキスト（sabbatean frankist）という言葉を使います。要はサバタイ・ツヴィ（Sabbatai Zevi 1626-1676）という人と、彼の生まれ変わりだと主張するフランク（Jacob Frank 1726-1791）という人が作ったグループなのですよ。

こいつらが、自分たちの手で世紀末劇を起こして、それで人類の9割を殺して、残りを家畜にするという計画を実行しようとしたグループなのです。

それで問題はドナルド・トランプの義理の息子のジャレッド・クシュナーもその派閥だということ。

副島 クシュナー、娘イヴァンカの夫ですね。だからトランプの義理の息子だ。彼がチャバドなんですか。

BF そう。ウクライナでもこのチャバドの人たちが群がって、ウクライナ人を追い払っています。昔、パレスチナ人を追い払ったのと同じことをやっているのです。自分たちの王国を復活させるために。

副島　ただね。クシュナーは表面上はニューヨーカーです。今やニューヨークのソフトなユダヤ人（reformed Jews（リフォームド ジューズ））の元締め、親分です。クシュナーがイスラエル国のために、アメリカ大使館を、エルサレムの近くに移して持って行ったでしょう（2018年5月14日）。イスラエル人がこのことに大変感謝した。

BF　だけど、あの人は、公（おおやけ）の事実として、ニューヨークで666 五番街の建物を買ったりしました。そのビルに、ルーセント・テクノロジー（Lucent Technologies）というAT&Tの研究所が入っています。ルーセントというのは「ルシファー（Lucifer）の」という意味です。そこで何の研究をやっていたかというと、人間の体の中に入れる半導体の開発なんですよ。クシュナーがその企業を買って、しかも割高で買って、どう見てもおかしい。

副島　でも、彼のお父さんも不動産屋ですからね。自分も不動産業をやってきたから。

BF　そうだけれども。要は不動産の論理、業界の論理で、住所に666がつく物件の支払い額にしては高すぎたんですよ。

副島　だけどジャレッド・クシュナーが、本当にニューヨークのユダヤ人たちを纏（まと）める力があるか、ないかです。

BF　だからそこが問題なのですが、何度も言うように、ユダヤ社会の中にいま完全に分裂トが起きている。ユダヤ人社会は完全に内戦状態なんですよ。チャバドみたいな世紀末カルトをその中からなんとか追い払わないと。そうしないと我々も結局、痛い目に遭う。

副島　その意味では、私が日本で統一教会（Moonies）を自民党や創価学会の中から摘発して追い出さないと、日本は大変なことになる、と考えているのと同じですね。この観点から、フルフォードさんの必死さと切実さがよく分かります。ようやくその深刻さが私にも分かりました。

アレックス・ジョーンズ（Alex Jones　1974－　）が最近10月に痛い目に遭いました。名誉毀損で10億ドルだから1400億円の賠償金を支払えという判決が出ました。

BF　そう。サンディフックの小学校銃乱射事件が、インチキ、捏造だと彼が主張し続けたから。

副島　上訴しても、アレックス・ジョーンズは身ぐるみはがれますね。自己破産するしかない。

BF　いや、でもあれも、いま英語でウォーフェア（warfare）ならぬローフェア（lawfare）という言葉があるのですが。お互いに裁判起こして起訴し合っているだけ。最終的には、裁判所に銃を持ち込んで決着をつけるしかないんですよ。

副島　じゃあアレックス・ジョーンズも簡単には負けてないんだ。

BF アレックス・ジョーンズを支えているのはテキサスでしょ。最後は彼を守るためにテキサスから軍隊が出てくる。いざとなれば。

副島 テキサス州に逃げているんですか。

BF 最初からテキサスですよ。

副島 じゃあ大丈夫だ。

BF だってサンディフック事件は明らかにヤラセですから。いくらでも証拠があります。

副島 まだ収監されてないから、捕まってないですね。

BF そう、だから捕まえられないんです。いまだに彼のページは健在です。

これ面白い話なんですが、ああいう人たちのサイトに広告を出せるとしたら、健康食品会社なのです。ビタミンの会社とか。なぜかというと、ビタミン業界は、カバールの医療業界にいじめられている。カバールから敵視されているから、逆にこの人たちがアレックス・ジョーンズみたいな人たちを支える。要するに、主流派医学ではない医学の人たちがそういうところに集まっている。

副島 ああ、じゃあそれなりに勢力になっているんだ。反(はん)カバールの。田舎の企業でしょうね。ニューヨークじゃないですよね。

BF そうそう。田舎のああいうビタミン業者とか。あと銀とか売る人たち。金と銀の本物を売っている。

副島　バイメタリスト（bimetallist）たちだ。

BF　ああいう人たちがそういうところを支えています。

先ほどから話している、世紀末思想を信奉している人たちというのは、モレクという神様を崇拝しているのです。バアル神とも言います。

昔、バアル Baal という、モレク Molech ともいう神様がいて、カルタゴもこの宗教だったのですが、子供を生贄（いけにえ）にする儀式をしていた。バアルは雷や稲妻の神様であり、そこから天気や豊穣の神様であったと言われています。この神を崇拝する人たちは、旧約聖書でも昔からユダヤ人の敵とされていて、ユダヤ人と激しく争っています。

左ページの写真は、1933年のシカゴ万博のときに行われたこのグループの祭典の様子を写した写真です。この儀式を15万人の観衆の前でやっています。このとき、イスラエルの初代大統領や、ロスチャイルド家の人たちも大勢出席しています。

副島　1933年と言えば、ナチスドイツができた年ですけどね。

BF　ホロコーストってどういう意味かご存じですか。

副島　ヤギの生贄（いけにえ）を神にサクリファイス（犠牲（ぎせい）、供犠（きょうぎ））として捧げること。

BF　そう。この神様、モレク神に捧げるわけです。

1933年、シカゴ万博の時に公然と行われたユダヤ・カルト「チャバド」の祭典。この時に登場した巨大なモレク神

15万人の観衆が集まったこの祭典には、イスラエルの初代大統領やロスチャイルド家も大勢出席した。

副島　最初はヤギだけど、ほんとは子供だ。人間の子供。それも自分の長男坊を捧げなければいけない。篤い信仰の験として。

BF　そうです。

副島　それはノウマド（nomad 遊牧民）の歴史から来ているんでしょう。

BF　そう。この人たちがもう何千年も前からユダヤ人と戦っていたわけ。そしてそれが今も続いているということなのです。そしてこの人たちの神が、エジプトでは（153ページで前出した）セトと言われていた。

副島　そうでした。そのセトが、サタンになったんだ。

BF　この人たちはユダヤ人と戦いながら、同時にユダヤ人のふりをしている。でも、本当のユダヤ人ではない。いまもユダヤ人のフリをしている。ユダヤ教ではバアル神は邪神です。これを崇めるということは、本当のユダヤ人ではない。旧約聖書を読めば分かります。

　だから、ユダヤ人って誰のことなんだという問題なのです。ヨーロッパの都市でユダヤ人が押し込められていた居住区をゲットー（ghetto）と言います。ゲットーに入れられた人たちが、すべて本当のユダヤ人かというと、違います。キリスト教以外のあらゆる人たちの寄せ集めがゲットーでした。その中には、本当のユダヤ人もいれば、ユダヤ人のフリをしている悪魔崇拝の人もいれば、ローマの古い土着の神様を信じる人。それから無神論者。全部とにかくそこに一緒くたに入れられていたのです。東京の新大久保と同じです（笑）。あそこにいるのは韓国人、朝鮮人だけではありません。タイ、ベトナム、ネパール、インド、パキスタン、イラン、南米の人たちなど、あらゆる外国の人たちがいます。それと同じです。

だから、この一緒くたにされたユダヤ人の中で、本当はかなり昔から歪みがありました。問題は、この中の悪魔崇拝のグループ、まさに先の写真が示すモレク神（バアル神）を信じるグループが問題の根幹なのだ。この認識が、いまようやく欧米でも広まりつつあるのです。

ＦＢＩの統計では、毎年アメリカで4万人ほどの子供が行方不明になっています。行方不明の捜索届けが40万人以上出ていますが、ほとんどは家出か何かでだいたい3日かそこらで帰ってくるか、見つかります。ところが、そのうちの約4万人は永遠に帰って来ない。行方が分からない。この子たちはこういう儀式で犠牲になっていると言われています。

副島　ペドフィリア（pedophilia 異常な幼児性愛症）問題と関わるということね。

ＢＦ　例えて言えば、日本政府の実権を握っているのが実はオウム真理教で、これが日本を裏からすべて操っている。こういうことに匹敵することが欧米社会で起きてしまったのです。悪魔崇拝のカルトに最高権力を乗っとられた。それまではなるべく隠れていようとしていたこの者たちが、今では、そろそろ露骨に姿を現してもいいと過信したわけです。賄賂や脅し、暗殺、不正選挙を駆使して政権を乗っとるというのはこの人たちの得意中の得意です。しかし、実際に民を治める、政（まつりごと）をするというのは、全然別のことなのです。昔、元（げん）の時代（1271〜1368年）、モンゴル人が中国を制覇した時に、中国の官僚が残した名言に、「馬に乗って来て国を制覇することはできるが、馬の上で国を運営できない」というのがあると何かで読んだことがあります。その通りですよ。

政権乗っ取りしかできない連中が国を運営すると、下手くそすぎて、国がボロボロになってしまう。いまアメリカで治安の悪化、格差の広がり、インフレ問題等々で、国が崩壊しそうなことと同じです。

副島　私もフルフォードさんと同じで、もうすぐアメリカは経済と金融市場が全面崩壊すると考えています。私の説は2024年説で、来年です。全面崩壊するだろうと思っています。

BF　私はもっと早く来ると思っています。

副島　では、今年、2023年と言うのですね。

BF　そう。MI6（エムアイシックス）筋の最新の情報では、ハザールマフィアはウクライナ戦争を含めて、2024年までには全面核戦争に持っていこうとしている。しかし、その前に止められると言っています。

◆アメリカ帝国は実質的にすでに破綻している

ＢＦ　直近の実際問題として、何度も言うように、９月30日はアメリカの対外支払い期限でした。それで不渡りが出た場合、２週間の猶予(ゆうよ)期間がある。

　この対外支払いの期限を無事越せるかのすったもんだや、金融危機のときの緊急のお金の調達など、アメリカは毎年のようにやっています。例えば、リーマンショックの時に何があったかというと、アメリカのＦＲＢが、アジアの長老たちに、これから黒人の共産主義者を大統領にするから、それと引き換えに金(きん)を売ってくれと頼み込んだ。そこでヨハネス・リアリという旧アジア王族の人間から７００トンの金を買って、それをベースにＦＲＢが75万トン分の金本位制債券を発行したんですよ。レバレッジで１０００倍を掛けてね。それで23兆ドルを作って、それでオバマ劇場ができたわけ。

　そのお金が底をついたのが２０２０年の1月31日でした。その時も不渡りが発生しました。その直前にトランプ政権にいた軍人らがみんな逃げました。引退してやめて、ワシントンからいなくなりました。このときも2月14日までの猶予期間があって、で、その時何が起きたかというと、新型コロナウイルス騒動ですよ。その結果は、この人たちがあぶく銭を1兆ドル分、今でいうと140兆円分、資金洗浄して、各国政府への賄賂に使った。その一方で、ワクチン利権、マスク利権などでマネーロンダリングしてなんとか乗り切ろうとした。けれども、いまそれが失敗に終わろうとしている。前のほうで言いましたが、欧米の有名な医学誌が、嘘だったと分かったといって、膨大な数のCOVID関連の論文を撤回しています。こういう風に空中分解してこの計画も終わったわけですよ。

そして次がウクライナ戦争だった。けれども、これもうまくいかず、2022年の9月30日にまた不渡り（財政危機）が起きた。今回もいろいろな提案があったと聞いています。例えば、今度は黒人のローマ法王を誕生させるから、それで勘弁してほしいとか。

ちょうど同じタイミングで中国共産党の党大会（10月15日から）が始まりました。だからこの秋から半年ぐらいの間に歴史的なことが起きる公算が高い。

私もまだすべては分からないけれども。ただ表に見えるものとして、上海協力機構やBRICS（ブリックス）がアメリカには油は売らないと言っている。それで今、ガソリン、ガス、石油の供給があっちこっちで止まっています。フランスでもガソリンが不足してガソリンスタンドに車の行列ができたり、ドイツでもノルドストリーム1のガス供給が止まっています。

副島　ドイツとフランスで抗議デモがかなり起きているみたいですね。日本では報道されませんが。

BF　ものすごいです。すでにイタリアやハンガリーは白旗を上げています。だからロシアからガスをもらっています。だから私の見立てでは、あとはドイツ、フランスが降参したらバイデン劇場は終わりです。そして、間違いなくそうなります。そしてその時、何かが起きる。それはソ連崩壊時よりも大きい何かです。

おそらく、ＦＲＢ、ＢＩＳ、世界銀行、ＩＭＦ、国連、アメリカ合衆国、これらがすべて崩壊する可能性があると思っています。

少し前に、ロシアを非難する国連投票がありました。ロシアが無記名投票にしようといっても通らなかった。ロシアは、無記名投票にすれば、ロシア非難決議に賛成投票する国がぐっと減ることが分かっている。だからそう提案したのですが、アメリカがそれをさせない。すると、非難決議に賛成投票しないとアメリカに虐(いじ)められると恐れて賛成投票する国がぐっと増える。国連もそんな感じですから、まったくダメです。だから私は、ソ連崩壊、ベルリンの壁崩壊を越えるできごとが起きるという見方なのです。

副島　２０２２年内に何か大きな予兆があって、２０２３年にガラガラと崩れると、フルフォードさんは考えている。

BF　崩れるか、円満に新体制に乗り換えるか、これからの勝負です。

副島　そうやって大変動が起きて、世界の中心が北アメリカから、ユーラシア大陸に移っていけば、それでいいんじゃないですか。

BF 欧米以外の国、その中心はもちろん中国とインドで、チンディア（Chindia）という言葉もあります。人口力で言うと、このグループは世界の人口の88％を占め、経済力で言うと70％を占めます。この状況を理解する必要があります。

ならば、なぜそれなのに今もドルが強いのか。ここにはからくりがある。これまで刷られたドル札のほとんどは、アメリカ人以外の人が持っているのです。それでオバマ時代に、その抱え込んだ巨額の対外債務を半減させようと、きんきらに印刷された新紙幣の「アメロ」を中国に持ち込んで、1ドル2アメロで交換します、と提案した。だけど、中国はまったく相手にしませんでした。

逆に、中国はこのことがあって以降、アメリカが新しく発行するドル札を認めません。だから、今もドルが強いのは、数量が限定されているからです。ビットコインみたいに。ただし、アメリカ国内では新しく刷れるわけ。その新たに刷ったドル札は使える場所と使えない場所があります。

副島 ではアメリカ国内のドルと、世界中にあるドルは別ものだと。

BF そういうことです。だから、商店街の地域振興券や、地域通貨みたいなもので、その商店街でしか使えないものがあるということ。アメリカ国内では、株価の嵩上げ（吊り上げ）

と、ベーシックインカムと、その他もろもろのために刷り散らかしたドルをつぎ込んだ。その結果がハイパーインフレなのです。1980年、1981年のインフレの計算方法を使うと、今のアメリカのインフレ率は17パーセントを超えます。一方、給料のほうは8パーセントしか上がっていない。だから、アメリカの平均家庭の所得は1年間で160万円減っています。実質的に。

もうドルの信用は壊れているわけです。だから国内で刷ったドル札で株高を演出しても間に合わない。そこで日本から奪おうとする。だから極端に、1ドル150円まで円安になったじゃないですか。その理由は、日本国内で刷った円が国内の市中に出回っていないからです。国内で出回っている円が歴史的に低いのは、すべて海外に貢いでいるからですよ。

副島 そう。アメリカに貢いでいますよ。信じられないぐらいのお金を日本政府はアメリカに渡している。

BF そうそう。倒産している親分に無理くり奪われている。

副島 私の考えだと、裏からアメリカに貢いできたその総額は、これまでの累積(るいせき)の残高で2000兆円ぐらいあります。まあ15兆ドルぐらいです。これまでの40年間で毎年毎年30兆円ぐらい貢いでいる。私は自分の金融本で、このことを毎年、20年間書いてきました。しかし、誰も信じてくれません。

BF　そうそう。それでも間に合わないんですよ。

副島　だからそれは表に出ないお金なんですよ。アメリカに毎年差し出している資金は実態のないお金ですね、あれは。

BF　実態のない、特別会計ですね。

副島　そう、特別会計の裏(うら)会計ですね。

BF　裏会計が２５０兆円、表の会計が80兆円だからね。

副島　今は表の国家予算は１００兆と少しです。財投(ざいとう)や地方政府、そして医療（健康保険）の分も合わせると３００兆円、としています。

BF　１００兆円ですか。最近詳しく見てませんでした。でも、いずれ表の会計より裏は数倍大きい。

副島　それを石井紘基(こうき)（１９４０－２００２）さんという民主党の国会議員が一所懸命調べていた。そして殺された。

BF　そう。私も石井氏の娘さんと会いました。

副島　娘のターニャさん。石井さんの奥さんはロシア人でしたからね。だから、ＣＩＡとしてはもう、石井は殺せになったんですよ。統一教会がヒットマン（鉄砲玉）として殺したかもしれない。

BF　実行したのは、アメリカの下請けをやっている日本の暴力団ですね。あと、今後の展開としては、ワクチン詐欺をやった連中、それで賄賂をもらった連中は全員捕まりますよ。あれは重大犯罪ですから。

副島　まずアメリカでファウチ博士（最近まで米国立アレルギー感染症研究所所長だった）が捕まるかどうかだけど。どこかに逃げましたね、あいつは。

BF　こういうことはよくあるから、私もときどき情報が錯綜して困惑することもあるのですが、よく誰々は殺されたという情報が届きます。でもその後もテレビに出続けている。殺されたという情報が正しければ、テレビに出ているのはCGか、影武者ということになります。

でも、元の本人が殺されたとしても、テレビに影武者が出てくるようだったら、殺されていたところで意味がない。ファウチの場合もそうです。ファウチ本人はもういないけれども、ファウチをまたCGでテレビに出している連中がいること自体が問題だということです。

ヒラリー・クリントンも、今のヒラリー・クリントンは昔より20センチ背が低いのです。だけどまだ時々テレビに出ている。出るたびに、ヒラリー、ヒラリーと騒いでいる。そういうことがある限りはこの勝負はついてない。

副島　バンクーバーのクリントン家の別荘に隠れて住んでいるようです。そして何と、この

10月19日に来日しました。

BF　ああそうですか。知りませんでした。覚えていますか。２０１６年の大統領選挙のとき、黒っぽい服を着たヒラリーが、急に具合が悪くなったといって車に運び込まれて、そのまま病院に運ばれたという報道がありました。

副島　ええ、覚えています。

BF　それで同じ日の午後に20キロ痩せたヒラリーがカメラの前に姿を現しました。なんじゃこれ、って感じでした。よくクローンがいるとか、言う人もいるけど、クローンだったらそっくりなはずじゃないですか。全然クローンじゃなくて、ただの影武者。それも、よく見ると20センチも背が低いとか、耳が違うとか、顔も違うとか、そういうこと平気でやりますね。いずれはこの人たちはみんな裁かれるでしょう。

副島　そうでしたね。２０１６年の選挙のときに、ヒラリーが一度、倒れてボディダブル（替え玉）が使われていたのは本当でしょう。明らかに別人だった。しかし、この間の10月、ヒラリーは日本に来た。ぶくっと太っていました。あれは本物のヒラリーです。笹川平和財団で10月19日に演説して、次の日、フジテレビに出ました。おそらく２００万ドルぐらい講演料をもらって帰った。

BF　本物かどうかは分からない。ヒラリーの場合、先ほども言ったように背の高さが20セ

2022年10月19日、来日したヒラリー・クリントン

第33回高松宮殿下記念世界文化賞授賞式への出席が表向きの理由だった。本当の目的は日本からお金をもらうことだった。

（写真提供：ＥＰＡ＝時事）

2016年大統領選のときに現れたヒラリーの「ボディダブル」ニセ者と本物の比較

ンチくらい変わるのがいたんですよ。2016年の大統領選挙のとき、デブのヒラリーがバンに入れられて、数時間後にずっと痩せたヒラリーが出てきた。

副島　あれは偽物です。ただし、今回はね、演説していますから、演説までするとニセ者だと周囲にバレてしまいます。

BF　私の在米の選挙オタクの友人が2016年のとき、トランプとヒラリーの選挙キャンペーンに行ったんです。フィラデルフィアで。そして数千人の支持者を前にしたトランプ本人を見た。次にヒラリーが来るという小学校の体育館みたいな会場で、友人が到着したとき、会場にはまだ100人ぐらいしかいなくて、友人も入ろうとしたら入れてもらえなくて、ヒラリー本人もいなかったと彼は言っている。だけど、同じ時間に放映されていたテレビではヒラリーが映っていたのです。要は、CG（シージー）だった。ときどき、画面が瞬間真っ白になったりしていた。本人がいるか、いないかは別として、少なくとも、選挙キャンペーンでは本物は出ていなかったんですよ。

副島　そうでした。2016年の選挙キャンペーンの時のヒラリーは、ほとんどが替え玉でした。しかし、この性悪女（しょうわるおんな）はまだ生きていましたよ。

BF　それはもしかすると本物は身の安全のために出てこないのかもしれません。

副島　彼らはお金が目的ですからね、結局。今回は笹川財団がカネを出した。笹川財団が統一教会の主要な資金源ですからね。これでアメリカの政・財・官界まで汚したのです。最近聞いたのは、日本の官僚たちも、なんかこうしっかりしている。笹川平和財団は昔のモーターボート協会で、日本の法律で公営ギャンブルです。だから役所がそれに手をかけることができるんです。だから、政府のスパイの税理士やら国税庁も入っていて、笹川陽一(よういち)の思うように行かなくなりつつある。〝ドン〟の笹川良一(りょういち)(文鮮明(ぶんせんめい)、岸信介と同格)の時代は、一円も税金を納めていなかった。だから、日本財団と東京財団を脱税団体として作った。しかしそれでもなかなか厳しくなっている、と私は聞いています。

BF それは、中央銀行が無から作るあぶく銭の、それをマネーロンダリングするために、ギャンブルで稼いだお金だと言っているのだと思います。

副島 そうそう。そういう偽装(ぎそう)工作をやっている。それでワシントンDCの政治を汚しました、彼らが。それもそう簡単には行かなくなりつつある。ただ、今でも3億円ぐらいをヒラリーに払うぐらいはできるのでしょう。平気でできる。正当な正しいお金みたいにしてね。安いもんなんですよ。日本にとって3億円は。

BF 3億円は安いよ。でも、その程度のはした金が必要だってことは相当追い詰められているのかな。

副島 そうでしょう。彼らも追い詰められている。目先のお金は欲しいですよ、きっと。

フルフォードさん、これは忠告しておきますが、あんまりダブル（替え玉）のことを言い過ぎると、読者を減らしますよ。

BF 分かっているけど。実際に誰が見ても明らかだったという例は、過去にもいろいろあるのです。例えば、ネルソン・マンデラ。彼は本当は１９８７年に刑務所で死んだ。でも、南アフリカを動かすためにはマンデラが生きていないと困るので、役者を使った。刑務所から出てきたのはその役者のほうだった。刑務所から出て、すぐに奥さんが、「あれ、違う人だ」と気づいて離婚した。

副島 マンデラの件は、本当にそうらしいですね。マンデラの奥さんが、浮気していた、ということにして、奥さんを悪者にして消しましたね。

フルフォードさん、替え玉、身替わりのことを英語で body double（ボディ ダブル）とか、stunt double（スタント ダブル）とか言うでしょう。

BF 最近はアヴァター（avatar）もよく使います。

副島 そうか。それで、日本語で『影武者』という黒澤明の映画があった。

BF よく覚えていますよ。

副島 シャドウ・ウォリアー（shadow warrior）と言うと、意味が違ってきますね。日本人は「影武者」というと、別の人間を大名の代わりに立てたという意味で使う。英語には、同

投獄前（左）とは似ていない南アのネルソン・マンデラ

Nelson Mandela: Before and...

南アフリカの黒人の民族の英雄で、反アパルトヘイトの指導者、ネルソン・マンデラ（1918－2013。95歳で死）は、1964年に国家反逆罪で投獄され（46歳)、1990年2月に釈放される（72歳）まで実に27年間、獄中にいたことになっている。
事実は、本物のマンデラは1987年に獄中で死亡（69歳)。出獄したマンデラは別人に置き換えられていた。替え玉は演説が出来ない。右側の男が、感動的な演説をしたニューズ映像は1つもない。

じ意味での「替わり身の人間」という言葉がどうも無いみたいです。body double ぐらいしか。

BF　これまではよく「クローン（clone）と言っていたけど。

副島　それもなんかおかしい。

BF　私もいままで何百回もクローン技術があるからと言われてきたけど、クローンだったらそっくりじゃないですか。でも……

副島　あと、先ほども言ったように演説ができるかできないか問題があって。演説までできるボディ・ダブルはそうそういない。バレちゃうんですよ、頭の悪さが。おそらく。今の北朝鮮の金正恩（キムジョンウン）もそうです。前の丸顔のデブとは違って四角い顔です。演説もまったくしません。聞いたことがない。前のデブは、元気よく喚（わめ）いていました。2018年に病気でコロッと逝（ゆ）きました。トランプ大統領は、確か、「北朝鮮で重大なことがあった」とだけツウィッターしました。金正恩（キムジョンウン）は替え玉です。

置き換えられたあとのネルソン・マンデラは、たいした演説をしなかった。まったく迫力のない気の抜けた感じの老人でしたね。

BF　それなりに優秀だったみたいですが、でも似てないんですよ。刑務所で死んだネルソン・マンデラと、刑務所から出てきたネルソン・マンデラはまったく別人であることは見れば一目瞭然です。誰でも分かります。けれども、プーチンの場合はどうかと言うと……

副島　演説してますよ。演説はバレますよ。バカなことを言うと。

BF　分かっています。問題は、公のプーチンというキャラがいなくなるかどうかが焦点であって、もはや本人であるかどうかは問題にならない、ということです。アヴァターであろうと、本人であろうと、とにかくその人物がもう出てこない。テレビにも出ない。となったときに初めて意味を持ちます、というのが私の考えです。

第4章 スピリチュアリズムと封印された科学技術

◆ローマ帝国以前から、西欧の支配の歴史は複雑系

BF　アメリカの中間選挙（11月8日）でも、ブラジルの大統領選挙（10月30日）でも選挙不正が行われました。今後、どうなっていくか。私が聞いているのは、ロックフェラー財団の財産がすべて没収されると聞いています。全部で15兆ドル。日本円で2200兆円ぐらいです。いわゆるフォーチュン500の企業と、東京上場企業の支配権のほとんどをロックフェラーやロスチャイルドなどの外国人が持っています。それらがすべて没収されます。

副島　ブラジルの大統領選に勝って復帰したルラ・ダ・シルヴァは、リベラル派でブラジル貧困層の味方、ということになっています。ところがどうも、ルラのほうこそカバールの手先になってしまっている。ボルソナーロのほうが、真に愛国的で、反（はん）ワクチン anti-vaxxer（アンチヴァクサー）で、正しい人物だったようです。

ところで、強制没収は英語でフォーフィチュア（forfeiture）、没収ですね。ただの「シージャー」（seizure）差押え、では済まない。犯罪性資産の強制的な取り上げです。

BF　ほとんど詐欺で作り上げた資産ですからね。ほとんど無からお金を作って、それを使って上場企業を次々に買収してできた資産ですから。そもそもが、「化石燃料には埋蔵量に

限りがあって、まもなく無くなります」（1972年、ローマ・クラブの発表）というのは今では大ウソだったと分かっている。この大ウソをロックフェラーはばら撒いて、石油の力でドルの覇権を維持してきた。ですから、一言で言えば、ロックフェラー家というのは長期にわたって、アメリカを乗っ取ってきた犯罪組織です。

だけど、私に言わせると、いま問題になっているのは、遥か何千年も前に始まっていた人類に対する悪行の総退治なのです。

『ヴェニスの商人』の話は、本当はフェニキアの商人の話です。そして、フェニキア民族はカルタゴに流れて着いた人たちのことで、カルタゴは昔のローマのライバルでした。ギリシャの歴史学者が書いたものにも、ローマの歴史学者が書いたものにも、旧約聖書でも、カルタゴでは子供を生贄（いけにえ）にする習慣があるとちゃんと書かれています。実際に、カルタゴの遺跡の発掘では、壺に入った子供の死体とかが発見されています。考古学的な証拠は挙がっています。

問題は、それがじつは連綿といまも続いていることなのです。しかも大量に。そしてそれを今もやっているのが、欧米社会の一番頂点にいる連中だ。彼らは本当にそれを秘かにやっている。このことが問題なのです。これらの総退治ですから、中途半端なやり方では済まない。

だから、私に言わせると、いま世界中ですごいことが起きている最中なのですよ。

副島　なるほど、フルフォードさんの大きな考えがようやく私にも分かりました。

フェニキア人問題で、私の基本認識は、フェニキアはギリシャとずっと強い同盟を結んでいた。カルタゴ人とはフェニキア人で、イタリアのヴェネチアもフェニキア人で、コンスタンティノープルにもフェニキア人の商人たちの大きな居住区があった。紀元前500年にすでに地中海全体に、フェニキア人とギリシャ人の植民地がありました。それを叩き壊したのがローマです。

BF　でもローマが壊滅させたのはカルタゴです。ギリシャに対しては、確かに戦争して勝ちましたが、ものすごく痛い目に遇(あ)いながら勝ったから、いわゆる Pyrrhic victory（「ピュロスの勝利」）といって、一応勝つには勝ったけど損害ものすごかった。そして結果的にローマはギリシャ文明に圧倒された。問題は、エリートが子供を生贄(いけにえ)にする儀式を現代に至るまで続けているということのほうです。

副島　ギリシャにもその儀式はあったのですか。

BF　ギリシャにはなかったけれど、政略結婚によって、フェニキアと上のほうの交わりはあったでしょう。フェニキア人はどこへ行くにも、航海で物資を運ぶ仕事を続けていた。それはフェニキアからカルタゴ、ヴェネチア（12世紀）、ロンドン（19世紀）へと続く伝統の中

古代ギリシャはローマよりずっと文明が進んでいた

古代ギリシャ、アテネのパルテノン神殿（上）を破壊したのはローマだった。そしてローマは帝国になった。

シチリア島の名跡、ギリシャのアグリジェントの神殿の谷（下）。遺跡の南側はギリシャ人の植民地だった。ここもローマに破壊された。

で続いた。英国海軍は、海に出れば単に強かったけれど、支配階級のエリート貴族たちはそういう儀式を秘かに続けていた。

副島 私は学生時代と中年と2回、アテネに行きました。パルテノン神殿の丘にのぼったときに、「一体、誰がこのパルテノン神殿をこんなに破壊したのですか」と聞かざるを得なかった。誰も答えてくれないのですよ。日本で世界史の本を読んでも、英語で書かれた世界史の本を読んでも、そのことを書いていない。だけど、私は自力で調べてやっと分かったんです。ギリシャのアテネのパルテノン神殿を壊したのはローマ兵です。激しい戦いをやっている。紀元前150年ぐらいからかな。この真実は、どうも西洋世界でタブーになっている。しかも、それとまったく同じ時に第3次ポエニ戦争をやってカルタゴと戦っている。同じ時期です。そうしてその後、スッラ（紀元前138－紀元前78年）というローマの将軍が、アテネを攻囲して完全に破壊しました。アカイア同盟を作ってローマと戦ったギリシャの貴族たち数百人は、首に縄をつけられて、ローマに連れていかれているんですよ。そして、ローマの貴族の家で家庭教師をやらされています。ローマよりもギリシャのほうがずっと文明が上で優れている。だから、ローマ人は戦争には勝っても、ギリシャ人に文化の水準で頭が上がらない。ギリシャ文明にもの凄い劣等感がありました。負けたギリシャ貴族は奴隷身分だけど、家庭教師だった。ローマの貴族たちは子供にギリシャ語を習わせた。ローマ帝国の公用語は、リンガ・フランカと言って、何とギリシャ語ですからね。ローマ貴族と官僚たちはギリシャ語で公文書を作成していた。この事実をみんな知らない。
シチリアに行ったときも、アグリジェントの神殿の谷という遺跡があって、そこで聞いたら、その遺跡の南側は、もとはギリシャ人の植民地だったと言うんです。フェニキア人も住んでいた。
BF ローマ人が言うには、トロイア戦争で負けた残党がローマを建設したと言っています。
副島 アイネイアースの話ですね。ウェルギリウスの叙事詩に出てくる。ローマ人がホメロスの大叙事詩『オデュッセイア』に勝手にくっつけた話だと思います。トロイアで戦ったトロイア側の戦士の中にアイネイアースという人がいたと。
BF ただ、間違いなく、生き残ったギリシャの生存者があちこちに散っていったということはあったと思いますよ。ほとんどは、いまのトルコ、アナトリアの話ですけどね。
あと、アレクサンダー大王（紀元前356－323年。わずか33歳で死）が、一番のエリート、精鋭の軍隊を引き連れてペルシャに行って、ペルシャを制覇した（紀元前330年）。マケドニアのエリートたちがそこに住み着いた。そのあとで、彼らの故郷ギリシャ本土がローマに取られたが、ローマはペルシャと何度か戦って負けています。
副島 だから本当は、ペルシャ帝国のほうが、世界帝国だったんじゃないですか。西洋人が世界史を歪めて作っている。ローマ皇帝が何人かペルシャで死んでいますよ。

BF　たしかウァレリアヌス（200－260年）という皇帝は、ペルシャで捕虜になって、ペルシャ皇帝が馬に乗る時の踏み台にされていたという話もあります。そいういう侮辱された歴史もあるから。だから、欧米にとって今もイランがウザいという歴史の根は深いんですよ。

副島　そうですね。アケメネス朝ペルシャの時代からの確執ですからね。

BF　そう。だけど、問題は、ローマが残した遺産は、キリスト教、ローマ軍とローマ法です。医学、金融、哲学とかはローマ起源ではない。現代の世界をよく見ると、大きく決裂しているのは「金融、医学の人たち」対「軍と法律の人たち」という構図です。この見方は歴史的な裏付けもある。ですから、大きな意味での内戦なんですよ。

副島　フルフォードさん。私は一言で言って、古代ギリシャを尊敬しています。しかしローマは嫌いなんです。ローマがフェニキア（カルタゴ）との戦争でも、そんなに正義だとは思わない。ローマ人も残虐だったと思います。カルタゴの子殺し生贄は遊牧民の文化（慣習）では必ずどこでも有ったはずです。そしてローマはギリシャに対するものすごい劣等感があるでしょう。ローマは、同じ地中海全体で植民地を作り合っていたギリシャ・フェニキア同盟と戦争をして、打ち滅ぼした。これがきっと大きな正しい見方です。この真実を今の欧米の歴史学者たちが言いたがらないのです。タブー（禁忌）にしている。

BF　ローマが、世界統一政府建設プロジェクト、一人の独裁者による世界統一というプロジェクトを古代からずっと持っていたという意味では、そのとおりです。しかし、実際問題として、ローマは北欧を制覇できなかった。そして、アングロ・サクソン、ゲルマン民族は現在でもカトリックではなく、プロテスタントですよね、地域的には。

私の先祖は、どちらかと言うとローマと敵対する側にいたゲルマン民族とユダヤ民族です。しかし、私には32分の1はローマの血も入っています。レペテというローマの一族の血。だから、擁護するわけではありませんが、いいところもある。ローマでは誰も法律の上には立てない。ローマ法の上には誰も立てない。皇帝といえども。その点で、ローマは法律が一番強い。あと、軍事力が強い。それが今も欧米文明として残って続いている。だから、現在、そのローマの伝統である「強い軍と法律の人たち」と、そうでない人たち、との戦い、というふうに世界史（人類史）を大きく見ることが可能なのです。

そういう意味では日本よりも複雑かもしれないです。日本のことは私は専門外だから偉そうにしゃべるつもりはありませんが、日本列島に最初からいたと言われている縄文人と、あとから中国大陸から渡ってきたと言われている弥生人と、この2つの人種の合体が、現在の日本人だという説があります。だから、この説だと遡っても2つに分かれるだけです。それに比べたら、西欧はもっと複雑です。カオスなんですよ。

副島　カオス（渾沌）は、フラクタルと言ってもいいですかね。

BF　そうですね、いいと思います。

副島　複雑構造。

BF　そう、今はその両者の奪い合いで、複雑構造なのです。

副島　それ以上は、私は分からない。私には、フルフォードさんと違って、世界を把握するときの基準が日本しかありません。そして日本語という言語による言論しかない。でもフルフォードさんが広げた、大きな図式での世界の構造、そして、大きく2つの対立勢力による戦い（奪い合い）というのはよく分かりました。きっと私もいつの間にか、そういう大きな図式での善（正義）と悪の戦い、を自分の頭の中でやっているのでしょう。

◆フェニキア人とは誰か

副島　もう一度、戻りますが、フェニキア（カルタゴ）人とギリシャ人は同盟を組んでいた。第2次ポエニ戦争の時のカルタゴの将軍ハンニバル（紀元前247－紀元前183年）なんかは、スペインからアルプスを越えて、ぐるりと回ってローマに入ろうとしましたからね。これは地中海全体をめぐる必死の戦いです。そうすると、先ほどのシチリアのアグリジェントの遺跡で私が見たように、ローマは、どこへ行ってもだいたい、ギリシャやフェニキアの植民地が滅んだあとのその横に、自分たちの植民地を作った。フェニキアの都市カルタゴが有った今のチュニジアでもそうです。

そうすると、私は、ギリシャ・フェニキア連合（同盟）の植民地の人々は、ローマ兵に皆殺しにされたのではないかと思うのです。少なくとも、上のほうの人たちはね。帰るところはないですから。

BF 大量に殺したのは間違いない。

副島 でもきっと、下のほう（一般庶民）は、生き延びて混ざっていっただろうと思います。だから、私はフェニキア人とユダヤ人がどう違うのか分からない。

ギリシャ人の大学者のアルキメデス（紀元前287－212年）は、ポエニ（カルタゴ、フェニキア）戦争の最中のフェニキア人の都市シラクーサで生きていた。そしてローマ兵に殺された。だいたいポエニというのはフェニキアという意味ですよ。日本人には、すぐに「カルタゴ戦争」（ローマとの）と教える。そしてギリシャがそこにいたことを隠そうとする。どうもここに、私は悪い意図を感じます。大きな真実を教えないのだ。きっとローマ・カトリック教会の世界史洗脳（改変）でしょう。

BF　前にも言いましたが、キリスト教世界で、ユダヤ居住区、ゲットーと呼ばれていたものは、キリスト教ではないすべての人たちが雑多に押し込まれていました。まったく違う出自（しゅつじ）の人たちが一つ所に押し込まれていた。もともとはカルタゴ出身の人たち、もともとユダヤ出身の人たち、それから無神論者の人たちも。それぞれが専門技術や専門知識を持っていたから社会に必要な人たちだった。しかし、キリスト教徒と混ざらないように隔離された。

だから、キリスト教世界で、ゲットーができたために、フェニキア人とユダヤ人の違いがよく分からなくさせられているのはそのせいなのです。それがユダヤ社会の中で、いま選挙があるたびに、真っ二つに分かれる本当の理由です。じつは、同じように見えるカルタゴ（フェニキア）出身者と、ユダヤ出身者が、本当は全然違うからなのです。それが外からはよく見えない。カルタゴ系の人たちはいまだに子供を生贄にしているのに対して、ユダヤ人たちからすると、それは絶対してはいけないことだ。本当はこの2つは真逆なのです。それが外からは同じように見えている。だから真相が見えなくなっている。

副島　そうすると、西暦900年代、ハザール王国（今のウクライナ、カザフスタン）を出たユダヤ人は、簡単に言うと、ポーランドやハンガリーを移動したあと、アシュケナージ系ユダヤ人になった。このアシュケナージ系ユダヤ人が悪いユダヤ人の血筋を引いている。それがハザールマフィアでカバール＝チャバールで、「チャバド」だということですよね。その一部はイスラエルに戻って（シオニズム）、支配階級になっている、と。こういうことでいいですか。

BF　それではちょっと単純すぎる。「なぜユダヤ人と言わずにハザールマフィアと言うのですか」と質問されたことがあるのですが、それはイタリア人をマフィアと呼ばないのと同じ理由です。マフィアはみんなイタリア人だけど、イタリア人のすべてがマフィアではない。私の見立てでは、１６００万人いるユダヤ人の中に、悪魔崇拝系のタチが悪いのはわずか１００万人ぐらいです。

副島　１６００万人というのは、どこに住んでいるユダヤ人ですか。

BF　世界のユダヤ人口です。

副島　今、イスラエル国の人口９３０万人のうちユダヤ人が７００万人ぐらい（あとはアラブ人とか）。そしてニューヨーク（ジューヨーク）を中心にアメリカ合衆国に８００万人ぐらい。その他の国にいる分１００万人を合わせて１６００万人ですね。分かります。でも、これ以外に、たとえば、アメリカに２０００万人ぐらい隠れユダヤ人（クローゼット・ジュー）がいるでしょう。ユダヤの血が入っているけど、自分はユダヤ人だと言わない人々が。フルフォードさん自身がまさしく一族の人々がユダヤ系だと前のほう（41ページ）で詳しく説明しました。

ヒラリー・ロッダム・クリントンなんて、自分はユダヤ人だって言いません。だけど、ヒラリーの実家ロッダム家は、明らかにオランダから来た裕福なユダヤ人の商人一族ですからね。だからヒラリーはニューヨーク州選出の上院議員だった。

BF　正直言うと、アメリカ人の発想や、していることは「ユダヤ国家」と言っても過言ではないけど、血筋で言うと、必ずしもそうとは言えない。私はカナダですが、私なんかも、ユダヤ人として育ってはいない。けれども、ではキリスト教かというとそれも違う。旧約聖書も新訳聖書も子供の頃は読まされなかったし。やっぱり、キリスト教はウザいなあって子供の頃から思っていた。同じようにユダヤ教もウザいなあと思っていた。だから、私は無神論者と自分のことを言っていた。あるいは「アグノスティック」と言っていた。

副島　無神論者、あるいは不可知論者(ふかちろんじゃ)ですね。私も自分のことは無神論者「エイシイスト（atheist）」と呼んでいます。しかし、日本人の私がこれを言っても、たいした意味はありません。誰も相手にしません。

BF　神様がいないと断言する「エイシイスト」と、いるかいないか分からないという「アグノスティック（agnostic 不可知論）」は、だから違います。

副島　神様は存在するという有神論は「テイズム」あるいは「スィーイズム」theism ですね。それに対して、私は「アテ（エイシ）イズム」atheism（無神論）ですからね。だけど、私に向かって「いや、お前たちなんてただの東アジアの仏教徒(ブッディスト)だ」と言う人がいれば、それはそれでもいいんですけどね。

BF 私は、ときどき自分のことを、一神教(いっしんきょう)の問題についてコンサルティングを依頼された無神論者なんだと思うことがあります。一神教には病気がある。この問題を解決するために無神論者の心理学者（サイカイアトリスト、心理療法士）を呼んで、どういうふうに対処したらよいか、という相談を受けているつもりだったりします。一神教は、今それぐらい危機的な状況だと言っていい。何千年前から続いてきたものが今まさに崩壊しようとしている最中です。こういう感じだから、みんなどうしてよいか分からない。

副島 フルフォードさん。一神教と言われて何のことか分かる人間は日本にはいません。私は独力で苦労してようやく分かりました。日本人で「日本はキリスト教やユダヤ教、イスラム教のような一神教の国ではない。だから日本は救(すく)われている」と言う人がいます。この手の人は、だいたい頭があまりよくない。大(おお)アジア主義の善人の保守派に多いです。

一神教（monotheism(モノシーイズム)）に対する対立概念は「多神教(たしんきょう)」polytheism(ポリシーイズム) です。日本というこの東アジアの土人（原住民）の国で、日本には八百万(やおよろず)の神がいるから、日本は多神教だ、という程度の素朴な知能の人がほとんどです。この低(てい)知能どもが、と私はひとりで舌打(したう)ちしています。口(くち)で説明しても、どうせ分からない。多神教というのは、ゼウスを大神としたギリシャのオリュンポスの神々のことを言う。ギリシャにはゼウスを中心に「オリュンポスの主要な12神」がいて、この他に、数百人の有名な神や女神がいる。これを多神教というのだ、と。八百万人も神さまがいるような国を多神教の国とは言わない。

BF　日本の八百万の神々というのはアニミズムですよね。

副島　そう。呪術（アニミズム）です。これは宗教以前の呪い、占いの段階の氏族（部族）の信仰です。これを言うとムッとする日本人が多い。まだ土人（原住民）段階なんですよ、となるので。

　ですから、西洋白人であるフルフォードさんが、一神教（モノシーイズム）の長い文明の重圧と圧迫から、自分がそこから脱出しようとして頭（脳）がキツくて、苦しくて、それで心理療法士の助けがいるのだ、と言っても、それを理解できるのは、私ぐらいのものですよ。

　私は独力で苦しみながら、西洋思想の大きな理解に到達した日本人です。ですから、30年前から、私は、自分のことを、「私は猿の惑星（the Planet of the Apes）（すなわち日本）に生まれて、ここが猿の惑星なのだと気づいた、生来、ずばぬけて頭のいい猿（ジーラ博士）なのだ」ともの悲しく言って来ました。今も誰もほとんど分かってくれません。だけど、最近、そうですね。私の本の真剣な読者たちの中から2000人ぐらいは理解者が出て来たようです。

ＢＦ　そうなんですか。日本の八百万神（神道）は自然宗教と呼んでもいい。私の考えはこうです。私たちを創ったのは私たちではありません。私たちは何かによって創られた。その何かを自然と呼ぶか、神様と呼ぶかはそれぞれの勝手です。けれども、必ず創造主（クリエイター）はいる。そこまでは言える。そうしたら、創造されたもの、自然と人間を尊重するべきだ、と思うのです。私にはそれぐらいしか宗教心がない。

あとは、ユダヤ教の基本である黄金律（golden rule）、「自分が他人に接してもらいたいように他人に接する」というゴールデン・ルールしかない。本当のユダヤ人にとっての金言（きんげん）はこれだけです。それ以上に深入りする必要はまったくない。この一言でまとめる。

副島　そうですか。私もその自然宗教理解でいいです。完全にフルフォードさんに同意します。それで、ギリシャの神々は polytheism「多神教」で、ヘブライズム（ユダヤ教）は monotheism「一神教」で、この根本的に異なる2つの闘いだったと。だけど、日本は「多神教」ではない、と言ってくれませんか。

ＢＦ　だから、日本は宗教以前のアニミズム。

副島　それを言うと、日本人が嫌がるのに気づいていますか。

ＢＦ　人によるんじゃない。

副島　そうです。人による。今の日本人の多く（多数派）は、特定の宗教（信仰）を捨てていますから、気楽なんです。長い重たい文明の重圧なんか無いから、この点はものすごく楽です。これが今の日本人の仕合せの最たるものでしょう。すっかり貧乏になってしまったけど。

そして、こんな無宗教、無国家宗教支配にしてくださったのはアメリカ様が天皇制（疑似一神教）支配を戦争で打ち壊してくれたからです。私は、このことに本気で感謝しています。

ただし、ただし。その後の、アメリカ様（本当はその裏側にローマ教会とイギリスがいる）による日本人の世界からの隔離と洗脳があります。私にとっては、ディープステイト＝カバール以外に、国内でのこの闘いがあります。

だから日本にいる、あの神々（ここに仏教を入れていい）というのは、バカ、あんなものは神じゃない。あれはただ、自然と一体化した自然崇拝（アニミズム）であって、西洋人の God とか Dieu とか Deus ではない。ですから、私は、いまは自然に素朴に、朝日（旭日）を拝んでいます。私の熱海の家は海から太陽が出るのが見えるのです。

◆霊魂は存在するか

BF　そうですね。私が不思議に思ったのは、日本人は無神論者だという外国人も多いけれども、でもお化けを信じる人が多いとか、どういう思考回路なのかな。

副島　英語の霊魂は、スピリットです。フランス語ではエスプリ（ésprit）です。ドイツ語ではガイスト（Geist）です。ガイストは英語の「ゴースト」（ghost）と同じです。お化けですね。私は、いま懸命に、この霊魂を認めると力説しています。

BF　いろいろな動画映像などでも見られますが、人が死んだ部屋に夜、暗視カメラを設置していたりすると、日本語で「オーブ」（orb 球体）と呼ばれる電気の影みたいなものが見られたりします。いまの科学ではまだ十分解明されていない現象があるんですよ。

副島　それはスピリットやソウルでいいのですか。

BF　ソウルか、あるいは何らかのエネルギーの残像でしょう。これからの研究で解明されるのでしょう。

副島　私もなるべく自分の納得いく範囲で、大衆が信じているものを一緒に分かり合いたいと思っています。

そうすると、やっぱり世界で一番優れた哲学者は、古代ギリシャの哲学者ではなくて、近代（モダーン）のデカルト（René Descartes 1596-1650）なのだと思います。私が50年かけてようやく到達した理解は、デカルトの『方法序説』*Discours de la méthode*（ディスクール・ドラ・メトード）（1637）が、一番エラい。ここではっきりと、存在（実在）するのは、「物質」（la matière（ラ・マティエール））と「精神

（l'esprit（レスプリ））」だけだと断言しました。日本語では「エスプリ」というフランス語は高級な知恵みたいな使われ方をしてきました。そうじゃないんだ。これはまさしく霊魂だ。そして、デカルトはこの物質と霊魂以外のものをすべて拒否しました。だから、神、Dieu（デュー）は要らない、と。そんなものは存在（実在（サブスタンス））しないと。かつ、宗教、religion も要らない、と言い切った。だから、デカルトは、ものすごくカトリックに怖がられた。

デカルトは、１６４９年にスウェーデンのクリスティーナ女王の宮廷に呼ばれて行って、家庭教師をしていた。ある日、風邪をひいて肺炎で死んだことになっています。しかし、真実は、その時スウェーデンのフランス大使館付きのカトリックの宮廷司祭がデカルトを殺したという証拠が挙がっています。ヒ素で殺された。デカルトが死んだ１６５０年という年は、ウェストファリア条約（１６４８年）の２年後です。ウェストファリア条約で、やっとのことでプロテスタントたちの権利が認められました。マルティン・ルターの時代（１５１７年、宗教改革の宣言）から数えて実に１３０年後です。ヨーロッパの北のほうは全体がプロテスタントですから。デカルト暗殺は、カトリックの側からの反撃だった。

そうすると、そういう状況の中で、「物質と霊魂だけが存在する」と断定したデカルトがやっぱり世界で一番偉大だと私は思います。私は遂（つい）にここまで到達しました。こう断言できるのにも、私の人生の思索の50年間がかかっています。私も、デカルトに倣（なら）って、実在する

デカルト（1596－1650）はこの世には物質と精神＝霊魂しか存在（実在。Substanz（ズプスタンツ））しないと言い切った。だから偉大である。

スウェーデン王国のクリスティーナ女王（1626－1689年）

現在、パリ５区の国立自然史博物館に保管されているデカルトの頭蓋骨

のは物質と霊魂の2つだけだ。これだけにしてくれと、本気で思います。私のこの決断はもう揺らぐことはない。霊魂は英語でスピリットですから、だから、スピリチュアリズムでいい、と。霊魂（スピリチュアル）は、物質ではない。それでは一体何なのか。簡単に言うと、霊魂というのは思考（考えること、think、penser）であり、マインド mind であり、インテレクト（知能）であり、思考する能力（thinking ability）のことだ。

BF 私は個人的に老子のほうに親近感をもっています。

副島 老子、ラオ・ツィー。

BF そう。だから、タオイズム、道教です。

老子の教えは、簡単に言うと、白が存在しなければ、黒が存在しない。だから、要は0と1の世界観。哲学の根本問題は、そもそも存在とは何か、です。どうして、すべて「無」でないのか。無が成り立つためには「有」がないといけない。「有」がないと、「無」も成り立たない。今の言葉で分かりやすく言うと、デジタルの世界観。0と1、陰と陽の考え方。私はこの老子の考え方のほうに親近感をもっています。

自分というものが存在している。そして自分の外の世界がある。私はこの外の世界の実在を実感することができます。この自分と、自分の外にあって自分が実感できるもの、この2つだけが確かなもので、すべてはこの2つからしか生まれない。

副島　分かりますよ。フルフォードさんの考えはデカルトと通じていますよ。

BF　ところが、欧米の支配階級の人たちは、私が実際にヨーロッパに行って会ってみると、だいたいゾロアスター教なんです。「永遠に続く善と悪の戦い」という世界観を持っています。私はそれは違うと思う。2つのものの「戦い」ではなくて、2つのものが相互に依存していて調和をめざす、という世界観のほうが正しい。男と女みたいな関係です。
　だから、私はアジア的な世界観のほうが正しいと思っています。

副島　ゾロアスターというのは「ツァラトゥストラ」ですよね。

BF　そうです。その世界観は、善と悪の永遠の戦いです。

副島　つまりダイコトミー（dichotomy）、二分法だ。すべてを2つに分ける。そしてデュアリズム（dualism）、二元論です。すべてを2つの元（おおもと）とする。

BF　そう。現代で言うと、それがデジタルですよね。0と1の考え方でコンピュータも出来上がった。今のインターネット通信も。

副島　私も、その考えに大賛成です。すべては2つ。ダイコトミー（2分法）でデュアリズム（2元論）です。ところがね、どうも今の最先端であるクアンタム・コンピュータ quantum computer の原理は、「0」と「1」だけではないらしいんですよ。「もうひとつ」あるらしいです。

BF　どこかとつながっている？

副島　そうそう。量子（りょうし）（クアンタム）というのは、こっちにも存在して、同時にあっちにも存在している。ハイゼンベルク（1901－1976）と議論、激論したシュレディンガー（1887－1961）がこの立場ですね。シュレディンガーは、「光は物質（マター）であるときと波（ウェイヴ）（波動）であるときの両方がある」と言って、量子（クアンタム）は2つが同時に別の場所に存在する、と唱えたらしいです。それでこれを使って通信（コミュニケイション）するという原理になっているみたい。

BF　たしかに、超能力をクアンタムで説明できるんじゃないか、という議論があります。ずっと一緒にいると見えないところで互いにつながっているという経験を誰もがするでしょう。

副島　私もそれを認めていいと思います。ただし、私は物理学なんて何もできないから具体的な理論（セオリー）は分かりませんが。

BF　こんな実験があるのです。お母さんと赤ちゃんのペアを何組も集めて、お母さんに目隠しをつけて、指先だけで赤ちゃんの頭に触れさせるという実験なのですが、母親たちは自分の赤ちゃんを間違いなく識別するというのです。だから、そういう目に見えないつながりというのはどこかであると思うのです。だけど、それも最終的な大元（おおもと）（だいげん）は0と1にならざるを得ない。

副島　私もその考え（思考、知能）でいいです。そしてそれは霊魂（スィンク、マインド、エスプリ、ガイスト、スピリット）でいいんじゃないですか。

BF　霊魂という言い方でもいいけど、クアンタム（量子）でつながっているのだという科学的説明もあり得るのかもしれない。

副島　クアンタム（量子）コンピュータは、アジア人しか作れないらしいのです。なぜなら、アリストテレスが0と1で、論理学（logics ロジックス、logia ロギア）をつくった。それが現代論理学まで続いていて、ずっと0と1でやっている。「有る」か「無い」かの2元論です。

西欧人はいつも賭けるとき、選ぶときは、コイントス coin toss で決めますよね。硬貨を宙に投げて手の甲で受けて、表か裏かで決着する。ところが、アジア人は「じゃんけん」をします。じゃんけんはグー、チョキ、パーの3つです。これは西欧人からみたらとんでもない話で、ものの考え方が根本的に違う。ところが、ユダヤ人にはこのじゃんけんぽんがあるらしい。だから、量子力学の「三体問題」を解けるのはアジア人だけだという説がある。「三体問題」three body problem が中国で大流行です。日本でも。

BF　たしかに、大元が3つだという考え方もあると思います。それは、神、悪魔、それからカオスの王者。要するに、2つの互いに戦っている勢力と、その2つの勢力をランダムに入れ替える存在。この3つがあると、複雑な現実のすべてが成立する。

副島　それと、キリスト教の三位一体(トリニティ)は何か関係がありますか。父と子と聖霊（ホウリー・スピリット）は、本当は訳(わけ)が分からない。何者なのか。

BF　うーん、あるかもしれない。どうだろう。ただ、十字架というのは、もともとキリストが磔(はりつけ)にされた十字架ではなくて、キリスト教以前の古代からあった。土(つち)・水(みず)・火(ひ)・風(かぜ)の4元素を表していたと言われています。

ローマ教会は、キリスト教以前のさまざまな信仰を無理やり取り込んで合体させて出来た。例えば、キリストの本当の誕生日は知られていません。それがなぜ12月25日になっているのかと言えば、これは冬至(とうじ)です。これは太陽崇拝の名残(なごり)で、北半球に住んでいると、冬至に向かって、毎日毎日、日が短くなってゆく。太陽が昇る地点は南のほうへ1日1日とずれていきます。冬至の日から3日間は、同じ位置に太陽があるように見える。それからだんだん日が長くなっていきます。太陽が昇る位置も今度は北のほうへずれていきます。だから、キリストの誕生日が12月25日になったのは、それ以前の太陽崇拝の宗教の名残です。

◆スピリチュアリズムと封印された科学技術

副島　なるほど。そのとおりです。この地上（世の中）には3元論も4元論もあります。

ここで先ほどの論理学（ロジックス）の話に戻ります。日本人は西洋人の2元論（0か1か）のロジックスが分からないのです。体と実感で分からない。数学（マテマティクス）ではなんとか理解したけれど。西欧で言う論理学は、もともと日本になかった。だから生来、知能（インテレクト）が高い少数の勉強秀才たちが苦労して、なんとか西洋学問を、日本に導入してなんとか接木（つぎき）しました。無理やりです。それで、これが現在の最先端の、量子コンピュータの論理学（ロジックス）まで来ると、0か1かが、要らないらしいのです。

BF　0と1だけでは、動かない。第3の要素がないと絡み合わない、ということでしょうかね。

副島　そうでしょう。だから、量子コンピュータには西欧流の論理学（ロジックス）が通用しないとなると、中国人や韓国人や日本人にしかクアンタム・コンピュータの完成品は作れないのではないか、という話になってきている。

BF　実際に今、クアンタム・コンピュータを作っている人たちの国籍はどこですか。白人も入っていますよね。

副島　もちろん入っています。オーストリアのウィーン大学のアントン・ツァイリンガー教授たちがこの間（10月4日）、ノーベル物理学賞をもらいました。それから中国の科学技術大学に潘建偉（ばんけんい）という研究者がいて、この人はツァイリンガーの弟子なのです。この潘建偉がウイーンのツァイリンガーと通信し合って、クアンタム通信をやったんです。こっちにも存在するけど、同時にあっちにも存在する、というものです。それは元素でも原子でも電子でもないんだ、量子なんだ、と。でも一応、電子（エレクトロン）が両方に存在するらしい。それを通信の機械として作ったら、軍事通信でどこにも負けなくなる。軍事（戦争）は、通信が勝負ですからね。だから電子暗号通信の競争を西側と必死でやっている。日本の東工大や富士通、日立たちは、中国人の研究員も入っていてアジア人が和気藹々です。ところが、東大は、ＩＢＭやグーグルの命令で、「中国人を入れるな」になっているようです。

BF　私が実際に確認した話ですけど、ソニーの創業者の盛田昭夫さんがものすごく超能力に興味があった。かなりのお金をかけて超能力の研究をずっとさせていた。私が南海日報の記者のときに、盛田さんが死んだ。それでソニーの中の超能力の研究所が閉鎖されると決まった。そのときその研究所に電話したんです。そうしたら、超能力は存在すると立証できたと言うのです。例えば、気功師が、水が入って並んでいるガラスの瓶の1つだけに気を入れたあと、その気功師は部屋を離れる。その後、別の気功師が部屋に入って、どの瓶に気を感じるかを聞くと、一発で当てる。そういう実験で証明したというのです。だけど、家電として商品化はできない。それで、盛田さんが亡くなったのを機に研究所自体は閉鎖することになった、という話でした。しかし、本当は、その後、アメリカの軍事機関にソニーの研究成果は全部とられたみたい。

実際、私も米軍の超能力部隊の人間にアプローチをかけられたことがありました。だから、米軍は昔からそういう研究をしているのです。

副島　ただ、あんまり成果が出ていませんね、この30年ぐらい。電磁波で戦艦（バトルシップ）ごと移動させる、とか。映画にはなりましたが。

BF　いや、そうでもないですよ。公にしていないだけで、出ていますよ。リモート・ヴューイング（remote viewing）、遠隔透視というのは、実際にあって、ずいぶん進んでいるみたいです。

秘密宇宙プログラムという、まだ公開されていない、新たな科学技術開発をしているプログラムがアメリカの宇宙軍（スペイス・フォース）にあります。空飛ぶ円盤は、ほとんどすべて人間が作ったもので、反（はん）重力装置もすでにこの地球上で実現しているらしいのです。それらの情報がいつ公開されるかが焦点になっています。

２００１年の９・11の前の日、ラムズフェルド国務長官が、テレビのニューズで、「軍の予算から２・３兆ドルが行方不明になっている」と発言しました。この２・３兆ドルというのは今のレートで３３０兆円という膨大な金額です。そのお金はこの秘密宇宙のプログラムのために使われたと、私の情報源の複数が言っています。それがいまだに秘密にされている。

その秘密が、今回のハザールマフィアの壊滅を受けて、人類に公開されるかどうか、私にとっては、それが見どころなのです。

私の父は外交官をしていたのですが、父のゴッド・ファーザーだったのがウィリアム・ライアン・マッケンンジー・キング（1874-1950）で、22年間、カナダの首相を務めていました。

副島 そうですね。マッケンジー・キングは有名で偉い人物でした。決してアメリカの風下に立たないカナダの首相でした。

BF 22年間というのは、英語圏での首相の在任期間としては一番長い。彼が死んでから、日記が出てきました。それを読むと、マッケンジーは水晶玉を使って、彼の死んだお母さんとかに相談しながら政治をやっていた。このことが暴露されてスキャンダルになったことがありました。じつは、それを教えたのは私の曾祖母で、私の曾祖母がマッケンジー・キングと一緒に水晶玉を使っていたんだと、おじいちゃんが言っていました。19世紀末はそういうことが普通に行われていました。お金を払って有名な霊能者を家に呼んだりとかね。

副島 フルフォードさん、私たちもそろそろそういうのを始めましょうか。研究所を作って。堂々とやりましょうか。

BF 「あなたには、よくない相が出ていますねえ、私の口座にすぐに1億円振り込まない

とまずいことになりそうですねえ」なんてですか（笑）

副島　いや、真面目な話、冗談じゃなくて、遊びじゃなくて、私たちの知力の限りを使って、いろいろ困っている人たちに助言（アドヴァイス）をする。分からないことは分からないと正直に言う。そういうのをやりましょう。結構、人が集まると思いますよ。

BF　まあね。正直に言うと、私にもそういう能力がなくはないと思っています。あまり言いませんけどね。取材で誰か人と会っているとき、その人の大事な過去と未来の姿が映画のワンシーンのように映像で見えてくるときがあるのです。会ったあとで、家でもらった名刺を見つめているときとかね。たとえば、その人が未来に勲章をもらうことになるイベントでのその人の姿とかが見えてきたりします。

副島　幻影（ヴィジョン）が見えて来るでしょう。実は私もそういう能力が少し有ります。ある人の顔が浮かんできたりする。日本でもそういうことができる人を霊能者と呼んでいる。フルフォードさんと私が共通に知って、お世話になった船井幸雄（ふないゆきお）先生も霊能者でした。ご自分ではあまりそうは言いませんでしたが。本当にそうでした。私は身近にいて知っています。フルフォードさんも船井先生の御宅によく行って話し込んだでしょう。

　サイエンスとしては「ブレイン・サイエンティスト」と呼ばれる人たちの範疇（はんちゅう）です。脳科学者と日本では言います。ところが、ヨーロッパ、アメリカ基準ではこの「ブレイン・サイエンス」という学問はもう無くなった。では何て言っているのかというと、神経生理学、ニューロフィジオロジー neuro-physiology と言うらしいです。茂木健一郎とか×脳科学（者）などと粗雑に自称している人たちは、信用をなくして滅びました。

BF 脳内で電気信号が実際にどんなふうに伝達されているかを研究したりしている。ずいぶんいろいろなことが分かるようになったみたいですね。短期記憶のときにどこからどこに信号が走っているかとか。

副島 そうです。それが神経生理学です。それはAI（人工知能）の開発のためにも使われています。ところが、どうもAI自体がもう無理だと分かって学問としては崩壊に向かっている。ただテクノロジー（生産技術）としてAIは企業の中で生き残っている。

本当に幻影が見えるなら、それを私はもう認めていいと思っています。それを認めるということは、やはりこの世の実在（実体。サブスタンス）は「物質」だけでは済まない。霊魂（思考、知能）が実在する、ということです。まさしくデカルトが言った（断定した）とおりです。物質の世界から飛び出すわけです。だから霊魂です。

BF 私は上智大学の学生だったとき、イエズス会の神父の先生を教室で泣かせたことがありました。その先生は、「魂、mind と物理学は別だ」と授業で言ったのです。「ではなぜ、アルコールという物質を体内に入れると、酔って mind が変わるのですか」と私が質問したんですよ。納得しなかったから。あんまりしつこく質問したから、その先生、最後は半べそかいた（笑）。たぶん、自分の信念を守りたかったんでしょうね。魂は存在する、と。

副島　その魂というのはmind（マインド）でいいのですか。私はそれでいいと思います。

BF　スピリットかな。で、魂は死なない、という証拠、生まれ変わりはあるという証言はたくさんあります。

レバノンのドゥールーズ派（イスラム教シーア派の分派）のコミュニティで、実際にあった有名な話なのですが。3歳の男の子が、ある日、家に来た男性を指さしながら、「この人が僕を殺した」と叫び出した。周りの大人たちに「バカなこと言うんじゃない」とたしなめられたけど、その子は「ほんとなんだ。あの男が僕を斧で殴って殺したんだ」と、ずっとそう言い続けるから、それでその子が殺害現場だという場所に大人たちが行くと、実際にそこで白骨死体が見つかって、頭蓋骨には斧でやられたと思われるひびも入っていて、その男が最後には、実は自分が数年前ここで殺したんだと白状したという事件です。こういう話はいっぱいありますよ。

副島　レバノンというのが、先ほど出ていたフェニキア人がいた国でしょう。

BF　そうです。

副島　あのあたりは、もっと古くは世界で「海の民（うみのたみ）」（Sea Peoples（シー ピーポウ））と呼ばれた人たちが居た。私は、「海の民」というのは、のちのフェニキア人と同じだと思っている。この船に乗った「海の民」（maritime people）が、北のヒッタイト（ヒッティ）帝国を滅ぼしたし、南のエジプト新王国も衰亡させた。

BF その「海の民」の人たちが、ヤギの顔をした、二股の尻尾を持った神様を崇めていた。エジプト人はそれを「セト神」と呼んで、それがサタンの語源にもなった。

副島 だから、それがフェニキア人だといってもいいんじゃないですか。

BF フェニキア人よりずっと前なんですよ。

いまの中近東地域で古代の人間たちが、それまでは、それしかなかった狩猟民族をやめたとき、人類は3つに分かれた。1つはそのまま狩猟民族を続けた人たち。次は運河や灌漑設備を作って農業を始めた人たち。3つ目が遊牧民族。遊牧民族は、数は少なかったけれど、肉は食べるし、乳製品も摂っている。だから、がたいがよくて、馬を乗り回してたくましかった。

古代の遺跡の発掘で分かっていることは、農業をやるようになった人たちが人口ではずっと多い。でも、遊牧民族に比べると、体は小さかったし、強くもなかった。数だけが多かった。遊牧民族は、家畜を支配する技術をもっていたから、草を食べる動物たちを支配できた。だから人類は農業をするようになって、3つ目の遊牧民系の人々が動物だけでなく、草を食べる人間たちをも家畜としてずっと支配し続けた。このことが、じつは現代にまで至る欧米の長い長い歴史なのです。私はそう見ています。

副島 そうか。だから動物だけでなく人間をも生贄（いけにえ）にする遊牧民系のセム族が、定住民である農業民を奴隷にしたと。鋭い理論ですね。これまで、私たちはずっと、農耕民（定住民）のほうが豊かだから、遊牧民（ノウマド）を駆逐（くちく）した、と教えられて来ました。そうではなかったんですね。なるほど納得しました。

BF だから「シープル（sheeple）」にした。

実際に、一神教を見ると、神様のことを「よい羊飼い」（グッド・シェパード）と言います。羊たちは一生、狼に脅えながら過ごすけれど、最後に実際に羊を殺すのは羊飼いですからね。羊飼い（神）が羊を殺すわけです。だって、そうですよね。殺されて肉を食べられるわけだから。これが欧米の歴史そのものと言っていい。

今回のパンデミックによるマスク騒動もそうです。皆が黙って言われたとおりにマスクをしている。世界中の人間がもう何百年も前から家畜化されていると言っていい。日本は欧米人に比べたらその度合いは低いかもしれないですが。その歴史が一番長いのが欧米人で、欧米人の場合は、何千年も前にその家畜化が始まったわけです。その長い長い歴史にいま、終止符が打たれようとしている。

◆第20回中国共産党大会

副島　日本人もこの150年間で西洋化しましたから家畜化が進んでいます。
　だから直近で言えば、ロシアが、もうディープステイト、カバールと戦うと決めた、ということになります。

BF　そう。じつは私は、MI6(エムアイシックス)の人間に、ロシアとの仲介を頼まれたのです。それでロシアのFSB(エフエスビー)（ロシア連邦保安庁。ソビエト時代のKGB(カーゲーベー)）の人間に「あなたたちは何が望みか」と聞いたら、「FRB(エフアールビー)（米連邦準備制度理事会）の解体」というのがその答えでした。はっきり言っていました。

副島　私は、中国もロシアに続いてカバール（チャバル、ハザール・マフィア、チャバド）との戦いを決断したと思います。今度の習近平の新体制で（10月23日から）。

BF　私もそう思います。私の中国の情報源の話を総合すると、習近平はあくまでもアヴァター、飾りです。じつは裏で新しい皇帝ができたと聞いています。その新しい皇帝はジンギスカンの子孫で、それまで皇帝だったのは清の最後の皇帝の子孫だったと聞いています。

副島　溥儀(ふぎ)。「（ザ・）ラスト・エンペラー」の愛新覚羅溥儀(あいしんかくらふぎ)。プーイーのことですか。

BF　そうです。そのプーイーの子孫が生きていた、と。以前、私はMI6の長官に呼ばれて、ドラゴン・ファミリーの人に紹介されて、そのことを教えられました。

　中国であまり言われていない事実として、中国は皇帝支配が残っていて、近代化するために共産主義がいいだろう、という発想から共産化したけれども、本当はいまでも一番上に皇帝がいるというのが、中国の隠れた真実。

　その皇帝がこの間の9月22日、北京で軍の車両が大挙して80キロの長蛇の車列を組んで北京に入ったとき、実際は何が起きていたかというと、その皇帝の交代劇があったらしいのです。私の情報源によると、前の皇帝系の党幹部1000人と、その家族3代がみんな死刑を受けたと。そして、新皇帝はジンギスカンの血筋を引く満州馬賊系の子孫に決まったと、ドラゴン・ファミリーの情報筋は言っています。

副島　そのドラゴン・ファミリーというのは「ホワイト・ドラゴン」と呼ばれている人たちと同じですか。

BF　ホワイト・ドラゴンというのは、欧米の良心派のことです。ドラゴン・ファミリーと同盟を組んだ人たちのことです。

副島　私も、今の中国は、赤い資本主義（レッド・キャピタリズム）で、赤い皇帝（レッド・エムペラー）のいる赤い帝国（レッド・エムパイア）だと思っています。15年前に、私が初めて書いた中国研究本の書名（タイトル）は『中国 赤い資本主義は平和な帝国を目指す』

（ビジネス社刊、２００７年）です。私は習近平と同じ歳なんですよ。１９５３年生まれで69歳です。プーチンも1歳上なだけで、この間70歳になった。だから習近平の気持ちが、私には手にとるように分かるのです。ずっと同じ時代を生きて、同じように感じながら生きてきたんだなあと。国が違ってもね。マインド（思考）が、メンタリティ（精神）が似ているのです。

１９９３年。習近平が40歳の時に、毛沢東が死んだ（１９７６年）あとの最高指導者だった鄧小平が、習近平を呼びつけて、「お前は私たちの敵である上海閥（幇）の江沢民たちが育てた子分だ。天安門事件（六四事件、１９８９年）が起きたので、共青団の真面目で民衆思いの、胡耀邦と趙紫陽、そして李克強たちに任せたら、中国はアメリカに勝てない、やっていけない。だから強欲人間たちである上海閥の江沢民にいったんお前を預けたのだ。そして私は決断した。次の次、つまり胡錦濤の次の中国の最高指導者は習近平、お前だ。だから、いいか、近平よ。我慢して我慢して我慢することを覚えよ。人々の上に立つ者にとって一番大事なことは我慢だ」と、習近平に教え諭したんだと思います。鄧小平はこの3年後に死にます（１９９７年、92歳）。このとき40歳の習近平に後を託した。

習近平のお父さんの習仲勲という人は立派な人物だった。17年間、文化大革命で牢屋か自宅監禁だった人です。西安の北（陝西省）の出身です。

だから15歳の時、習近平は、6年間、延安（えんあん）のそばの貧しい農村に「下放（かほう）」（Down to the countryside）されて、厳しい農業生活の苦しみを味わっている。それでも大幹部の息子ですから、21歳で北京に戻って来ています。あとはそんなに苦労していません。しかし、少年時代に地獄の苦しみを味わっているから、私は習近平を鄧小平が見込んだんだと思います。なぜなら、「お前だったら、戦争ができる。５００万人、１０００万人の人民が死んでも、お前なら戦争ができる。だからお前を選んだのだ」と言ったと思うのです。

ところが江沢民たちはこの鄧小平の遠望（えんぼう）の策略に気づかなかった。自分たちの子分の習近平が、２０１２年10月からトップになった。しめしめ、よかったよかったと思っていた。しかし、鄧小平が裏から仕組んでいた。鄧小平は、習近平が権力を握ったら、上海閥（資本主義の欲で汚れきった者たち。腐敗幹部たち）の寝首（ねくび）を掻（か）いて、中国の国家体制をキレイにする、と分かっていた。

鄧小平が、天安門事件（中国では「六四（リヨウスー）」と言う）のあと、共産主義の理想のキレイごとでは、中国は豊かになれない。人間が本性（ネイチャー）として持つ薄穢（うすぎたな）い諸欲望までを解き放たないと、中国の資本主義的な巨大な成長は達成できない。女たちは売春婦になってでも、目敏（めざと）い者から上に這（は）い上がれ。そうしないと、人民を豊かにできない。人民を満腹にする（鼓腹撃壌（こふくげきじょう））ことができなければ、共産党体制は人民によって打ち倒される。

だから、いったんは、貪欲に金儲けのやり方を知っている、あのワルの上海人ども（中国のユダヤ人と、他省の人々は悪口を言う）に最低10年間は任せるしかない。

これが鄧小平が密かに敷いた中国のロケット・ブースター3段階式の中国発展モデルだ。これぐらいの深い深い知恵のある指導者が出て来なければ、次の世界帝国（ワールド・エムパイア）は築けません。

この今の中国の巨大な成長ストーリーの読み破りは、私がこの20年の中国の大躍進を具に観察しながら、自力で作ったものです。

BF　だけど、習近平の政のやり方を見ると、やっぱり……

副島　毛沢東そっくりでしょう。

BF　そうそう。

副島　だから、これでいいんですよ。習近平独裁で。本人はこのことを自覚していないフリをしながら、やっぱり毛沢東の後継ぎなのです。そうやってソフトとハードの両方の2つの勢力を動かす。

そして今回面白かったのは、第20回共産党大会で何が起きたかというと。胡錦濤が閉幕式（10月22日）の途中で係員に立ち上がらされて、引き立てられるように退席させられた。その時に、習近平に「お前、（8月の北戴河での）約束が違うじゃないか」と言ったんですよ。共

2022年10月22日、第20回中国共産党大会で半ば強制的に退席させられた前(ぜん)国家主席の胡錦濤が、立ち去り際、習近平に「約束が違うじゃないか」と文句を言っている

（写真提供：AFP＝時事）

この中国の権力ドラマもなかなか堂に入(い)ってすばらしいものだ。まるで中国歴代皇帝たちの、権力移行を描くテレビドラマのようであった。

青団系の故春華とかが政治局員に入っていないのはおかしいじゃないか、と。そうして連れ出されて行った。それは確かに「内紛」ですよ。ドラマじゃない、本物の内紛。権力争い（パウア・ストラグル）です。いいんですよ。みんなの前でやってみせたから。最前列に座っていた胡錦濤たち、一番上は、105歳の宋平ですが、こうやって横の上海閥のNo2の曽慶紅に耳打ちしているんですね。分かりやすい言葉で言えば、中国のオールド・パウア、老人パウアが団結したのです。団結して、個人崇拝は許さない、お前は毛沢東の再来ではない、と。これだけは、長老たちと共青団が団結をして実益を取ったらしいです。このことは、日本では日経新聞の中沢克二記者だけが書いた。他の朝日や毎日や産経新聞の反共右翼でさえ、このことは書いていない。

BF　私もその記事は読みました。

副島　大事なことは、中共の最高幹部たちの長老（エルダーマン）たちの老人パウアーが一致団結して、個人崇拝は許さないと言ったことです。個人崇拝は英語で……

BF　one man rule とか personality cult 。

副島　そうだ personality cult 、このパーソナリティ・カルト。スターリンと毛沢東がやったやつですね。この個人崇拝は絶対に許さない。だが、このあとの5年間は、お前にすべて任せる。お前の独裁（ディクテイターシップ）でいい、ということで落ち着いた。この中国の政治権力ドラマを欧米白人の専門家（チャイナ・ウォッチャー）たちが、いつ理解するかです。日本人は半分中国人ですから、冷酷な外からの目でもあるから、私のような一番鋭い人間から順番に理解してゆきます。そしてこれが世界に広まってゆく。

ですから、新しいチャイナ・セブンに習近平反対派は1人も入らなかった。全員、習近平の子分ばかりです。たいして能力のないやつらです。イエス・マン、henchmen、all the King's menです。トップ7を入れて24人が中央政治局委員です。その中の常務委員というのが「チャイナ・セブン」です。その7人が今回はすべて習近平の忠実な子分です。ということは、中国はいつでもただちに戦争ができる体制、戦争を準備している体制なのだと、私は判断を下しました。いま、その本を書いている最中です。

BF　まあ、間違いなく言えることは、習近平は中国フリーメイソンなんですが、彼らも一枚岩ではなくて、しかし彼らを動かして全面戦争を起こそうとしている人たちもいるのです。だからその意向が中国にも巡って行っている。その可能性は大いにあると思います。

副島　フルフォードさんの考えからは、プーチンも習近平も、結局は核戦争（世界戦争）をやらされるための駒（必要人材）ということになります。この考えは、私の考えよりは、一周り思考の枠が大きい。ですから私は今は反論しません。それでも世界フリーメイソンが戦争をしたいんですか？　そのために中国までも操っている、と。

BF フリーメイソンの上にいるのは、ロスチャイルドとかロックフェラーとか。その人たちがどうしても狂信的で、旧約聖書の世紀末劇を実現しようとしている。実現したくてしたくて仕方ない人たちです。だから、前のほうで説明した世紀末預言では、2大国であるゴグとマゴグが戦う。人類の9割が死ぬ。生き残った人類は「ユダヤ人」の奴隷になる。1人の「ユダヤ人」に2800人の奴隷がつく。

問題は、中国がこれまで弱すぎたから、中国を強くしないとこの対立が実現しない。そこで例えば、「ブッシュ・中国・ファウンデーション」(Bush Foundation for U.S.-China Relations)の議長をやっていた息子ブッシュの弟のニール・ブッシュ(Neil Bush 1955-　。三男。次男はジェブ・ブッシュ)が中国にミサイル技術を提供した。それまでの中国のミサイルは精度がなっていなかった。そこに最新の技術を提供して、ピンポイントで当たる技術を与えた。とにかく、中国をアメリカと対等にしないと相互の殺し合いにならない、という理由から。

副島 その時すでに、ブッシュ家の親分はデイヴィッド・ロックフェラーでしょ。そもそも、おじいちゃんのプレスコット・ブッシュ(コネチカット州上院議員だった。テキサスに移ってロックフェラー財閥の代理として石油ビジネスで大儲けした。以来、ブッシュ家はテキサス州から立候補する)の時代からブッシュ家はロックフェラー家の家来になりましたでしょう。

デイヴィッド・ロックフェラーが、毛沢東が死んだ（1976年）あと、すぐに北京に行って、鄧小平と組んだ。そして「東風（トンプー）21」という、米空母（エアクラフト・キャリア）を、1発で仕留める対艦（たいかん）弾道ミサイルを、中国に無償で上げたんですよね。いわゆる〝空母キラー〟です。このことにアメリカの軍人たちが今も怒っています。あれは、たしか1978年で、キッシンジャーとデイヴィッド・ロックフェラーが訪中した時です。このあと、中国は、欧米資本がガンガン入って、ものすごい勢いで経済成長しました。そのことで、アメリカのマイケル・ピルズベリーという国防戦略家（デフェンス・セクレタリー）たちが怒りました。それでもピルズベリーにしてもキッシンジャーの世話になっている。子分だから黙るしかない。

◆「価値戦争」は第3次世界大戦に行き着くしかないのか

BF　あの連中は中近東でもっととんでもないことをやっています。
　私は、イランの元国王のシャー・パーレビの息子たちと会ったことがあります。彼らが言うには、イラクは中性子爆弾を積載したミサイルをブッシュからもらい、他の大量破壊兵器ももらった。それで、どうぞイスラエルを撲滅してください、と言われた、と。中性子爆弾は人間は殺すけれど、建物は無傷で残ります。

しかし、イラクはそれらを使わなかったのです。そして、２００３年には、「イラクには大量破壊兵器（ＷＭＤ）があるぞ、あるぞ、イラクに侵攻しないといけない」とアメリカ国中が騒いだ時、サダム・フセインは、「済まないが、この大量破壊兵器を、イランが預かってくれないか」と言ってイランに預かってもらったと言うのです。そうやって、大量破壊兵器がイランに持ち込まれたわけです。ブッシュたちにしてみれば、イラクが大量破壊兵器を持っている一番の証拠は、自分たち自身が売ったということだった。

副島　その大量破壊兵器をブッシュがイラクに売ったというのは、１９９１年の湾岸戦争（The Gulf War）のときの話ですね。そしてそれが２００３年のイラク戦争（The Iraq War）のときに見つからなかった。

BF　そうです。自分たちが売ったのだから、絶対持っているはずだと思ったのです。それをイランが預かっていた。そして、イラン政府は、オバマが大統領になったときに、「こういうわけの分からないミサイルを、私たちは預かっていますが、私たちは要りませんから、買い取ってくれませんか」とオバマに言った。だが、オバマは断ったという話です。

　だから、イランが「あと数か月で核兵器を持つ」とずっとアメリカが言い続けているのは、このもともと湾岸戦争のときにアメリカからイラクに供与された大量破壊兵器が、イランに秘かに流れてきている。このことを知っているからです。イランがずっとそれらを持っていることを知っているから、イランは西側同盟（ザ・ウエスト）やイスラエルを脅（おど）すことができる。イランはそれらを使おうとしませんが。

副島　使うだけの技術がないのでしょう。

ＢＦ　いや、あるけど。イランの人たちは全面核戦争を起こすようなことを考えない。正常な常識があるから。

副島　フルフォードさんが言っている全面核戦争は、「アルマゲドン」（人類の最終戦争、人類の消滅）のことだと思いますが。このアルマゲドンの対立概念がね……私はもう、ロックフェラー、ロスチャイルドという話を、最近はしたくなくなりました。なぜなら、これまでの世界を実質のところで動かしてきたユダヤ金融石油財閥よりも、国家そのもののほうが、やっぱり大きいんじゃないかと思うようになったからです。欧米の歴史的ユダヤ財閥よりも、今はもっと大きな力が上から人類を抑えつけている。それが Deep State（ディープステイト）と Cabal（カバール）だと考えるようになったからです。ただ、それでも、人類（人間）は絶滅戦争をする、しないの問題が切実にある。私たちの目の前の現実として、現にウクライナ戦争でこの人類の危機が私たちの目の前に浮かび上がった。ロシア、中国は自制して核戦争はやらない、と言うけれども。やる可能性はいつもある、その時の戦いのことを、「価値の戦争」、英語で確か value war と言うんですよね。「価値戦争」と言います。

私自身も、「カバール」とか「ディープステイト」とかいう言葉をすでに自分の本に使っています。だから、この「価値戦争」の枠組みから、もう逃げられなくなっています。プーチンが演説の中で、「西側(ザ・ウエスト)（欧米）は悪魔教（ダイアボリズム、サタニズム）に支配されている。悪魔を信じている者たちの体制だ。打ち倒すしかない」と演説していますからね。これを言ってしまったら、これはもうアルマゲドンになる。人類の最終戦争です。お互いあとには退(ひ)けなくなる。だからこの value war はやめなさい、という議論が出ています。日本では佐藤優氏が言いだしています。この価値の戦争をやめないと、停戦（シース・ファイア）できない。というところに、今来ている。

ところが、私はすでに、「お前たち欧米白人の支配層の悪いやつらは、不正選挙もするし、パンデミック策略とワクチン犯罪もする。人類に恐ろしい罠、仕掛けをかけて戦争ばかりしたがる。だから、この際、絶滅戦争まで行ってくれ」と言い出しているのです。

ということは、私はすでにこの価値の戦争を肯定する側に立っているのです。私はもう退けなくなっている。リトリート（撤退）できない。停戦しなければいけないという側の理屈に立てなくなっていて、ちょっと困っています。

BF 結局、欧米の帝王学のやり方は、ヘーゲル哲学の「正・反・合」です。わざわざ対立するものを作り出しますでしょう。

副島　ヘーゲルが、それまでのヨーロッパのアリストテレス型の論理学（aかbか。0か1かの2項対立。2元論）を踏み越えて作った3段論法みたいなやつですよね。定立（テーゼ）、反定立（アンチテーゼ）、総合（ズンテーゼ）と飛躍する。

BF　ところがアジアではそうではなく、お互いにメリットのあることをしようじゃないか、ウィンーウィンという方向でやりましょう、という、全然違う哲学で動いている。だから、いまさら欧米の、必ず対立するものを作り出すという帝王学は要らない、という方向なのです。

副島　分かりました。私も、フルフォードさんが支持するアジア型の陰（イン）と陽（ヤン）が結合し合う平和の論理学（ロジックス）に賛同します。

ただし、習近平たちは、もう戦争準備態勢に入りました。だから、絶対に自分のほうから欧米白人勢力（ザ・ウエスト）に弱みを見せない、妥協もしない。ただし自分から先に手は出さない（核兵器は打たない）という、徹底的に準備するという態勢に入りました。

BF　まあ、確かに、入っている。しかし、私は、全面戦争は絶対ないと確信しています。普通に損得計算をすると、得るものが少なすぎる。損することが多過ぎます。でも、やらせようとする勢力が相変わらずいることは確かです。

副島　フルフォードさん、そう簡単にカバール、ディープステイトは権力を手放さないですよ。あいつらも必死ですから。

◆ドイツ、フランスもまもなく大きく変わる

BF　もちろんです。しかし、私は、ロシアと中国が、欧米の良心派と和解して、新しい仕組みができると信じています。もう勝負はついているのだと私は思っています。

最近、経営破綻が報じられた暗号資産の取引大手、FTX（エフティエックス）トレーディングスの問題も関係しています。この会社が何をしていたのか。じつは、ウクライナのためにアメリカから送られた１０００億ドル（13兆円）の基金を、ウクライナの中央銀行が、このFTXの暗号通貨ファンドに入金して、この暗号通貨ファンドは米民主党の議員たちにマネーロンダリングされたお金をばら撒いていた。そしてFTXは破産しました。

米国民だけでなく、世界中からお金を盗んで、今回の中間選挙（11月8日）の選挙泥棒（不正選挙）に当てていた。そのことが今、バレてしまいました。しかも、それらのお金がどこへ行ったか、明らかにされていない。このことは、アメリカの議員がFOXテレビで正式に言っていました。FOXチャンネルは「陰謀論」というレッテルを貼られる媒体ではなく、現役の政治家や大手ネットワークが参加しているから、かなりの大事（おおごと）になります。

だから、私たちは、今回もまた選挙泥棒か、結局、政治は何も動かないじゃないか、と諦めるのではなく、じつはすでに動き出している、というのが最新のサインです。

ついでに言うと、10月24日に、アメリカの連邦最高裁（ザ・スープリーム・コート）で、バイデン政権の閣僚や米議会の主要議員を含む３８８名を「国家反逆者（トレイターズ）」として告訴するか否か、をめぐる審理が始まることが決まりました。正式に裁判所に受理されました。１月６日から審理が始まります。この行方（ゆくえ）もどうなるか見守らなければなりません。

つまり、デイヴィッド・ロックフェラーは、なんやかんや言っても大王だったわけです。大王が死んだら混乱期が来る。彼が死んで、空白期が起きて、そこで激しい後継ぎ戦争をする。その中で、ブッシュ一族はほとんど殺された。この間（あいだ）、エリザベス女王も死にました。で、今はもうカオス（混沌（こんとん））なのです。後継者がまだ決まらずにいる状態だと言っていいと思います。

副島　私自身も世界皇帝はずっとデイヴィッド・ロックフェラーだと思っていました。そういう本をたくさん書きました。ところが、それ以外にディープステイト、カバールがいた。こいつらが表に出てきません。

ＢＦ　私はスイスにいるオクタゴン・グループだと思っています。

副島　ロスチャイルド家は今はみんなスイスに移転して、みんなスイスにいるんでしょう。

BF　スイスの地下施設に避難しています。

副島　フルフォードさんが言うように、この間、エヴェリン・ド・ロスチャイルド（1931－2022年11月8日没）が死にました。すると、ナサニエル・フィリップ・ロスチャイルド、通称〝ナット〟（若い頃、女優のナタリー・ポートマンと付き合っていた。日本にも三井銀行と住友銀行が合併したときに、証人として本家を代表して来ていた）は、たいした能力がないでしょう。あいつが後を継いで、ロスチャイルド財閥全体を動かす力があるのかなと心配します。父親の〝総帥〟ジェイコブ・ロスチャイルドの行方が知れません。

BF　ナサニエル・〝ナット〟・ロスチャイルドはスイスではなくてグリーンランドにいます。グリーンランドのチューレ空軍基地にいるらしいです。

ヨーロッパで今、注目すべきは、11月4日にドイツのシュルツ首相が訪中しました。私が聞いた話の範囲では、ドイツもＢＲＩＣＳ同盟に入りたい、というのが訪中の目的だと聞いています。

実は、最近秘かに私が注目している人物がいます。ドイツのヘッセン家の当主のハインリヒ・ドナトゥス・フォン・ヘッセンという人です。この人は、英国ヴィクトリア女王の曾々孫で、ドイツのフリードリヒ３世の曾々孫でもある。そしてイタリアのヴィットーリオ・エマヌエーレ３世の曾孫に当たるそうです。この人が「３００人委員会」の新しい裏方のトッ

ヨーロッパ全体の裏の王となるか。ハインリヒ・ドナトゥス・フォン・ヘッセン（1966－）

英ヴィクトリア女王の曾々孫にして、独フリードリヒ３世の曾々孫。さらに伊エマヌエーレ３世の曾孫に当たるハインリヒ・ドナトゥス・フォン・ヘッセンは、300人委員会の新しい裏方のトップと言われている。

プでないかと言われています。

副島　するとヨーロッパ全体の裏の王みたいになるのですか。

BF　そう。ヘッセン国という1000年ぐらい続いたドイツの王国はいちおう1918年で終わりました。だから第1次世界大戦前の状況にドイツを戻す動きの1つとして、シュルツが北京を訪問していたのだと聞きました。

ドイツがEU（ヨーロッパ連合）から離脱すると、ヨーロッパでのロシアの勝利が確定します。

日本もいま、独立国家に戻りつつある。というのは、日本はウクライナ戦争が始まってもサハリンの石油と天然ガスを買い続けているから。日本はロシア制裁をしていない。アメリカが何を言っても、するフリだけして、実際は石油と天然ガスを買い続けている。

ドイツもこのままでは産業が止まるから、ロシアと組むしかないという判断です。

アメリカはあと20日ほどでディーゼル燃料（軽油）の備蓄がなくなるようです。もう崩壊間近です。

イスラエルはいま一所懸命、ネタニヤフを復活させようとしています。しかし、うまくいかないでしょう。ネタニヤフは私がいうハザールマフィアの中心人物ですからね。彼らはもう逃げ場がなくなりつつあります。

ロシア政府の幹部も「このチャバドというユダヤの宗派はネオ・ペイガニズム（neo-paganism）だ。バールという異教の神を崇拝するカルトだ」と公に発言しています。

チャバドのトップは、そろそろウクライナから逃げなければならない。彼らはウクライナに大きなシナゴーグを作っていて、それで世界を支配しようとしていた。だけど、そのプロジェクトがいま空中分解している最中だから、逃げなければいけない。だけど、逃げ場所がない。だから、南極とか、イスラエルとか、自分たちの逃げ場所を探している。そういう状況だと言えます。

この悪魔崇拝の自称「ユダヤ人」たちは、我々人類をいままでずっと騙してきた。本当のユダヤ人はみんなエジプトから来たのです。似非ユダヤ人たちとは違う。

副島　その通りです。みんなエジプトから来たのですよ。モーセたちはみな、エジプト人です。

BF　だから、今いるのは神様ではなくて、神様のつもりの人間がいるだけだということになります。だから、笑える話ですが、この地球上には何千年も前から〝職業、神様〟という人たちがいたことになります。とんでもないことです。

直近でそれをずっとやっていたのがデイヴィッド・ロックフェラーということになります。そして、今、その支配がバレて、分裂が始まって、カオスになっているというのが現在の状態です。

フランスも、ロスチャイルドのマクロン劇場もまもなく終わります。だってマクロンは、児童売春をやっていたって知っていました？　それで自分のお客さんだったおじいちゃんと結婚したのです。それが今、ブリジット・マクロンと名乗って女装している奥さんです。おかしいですよ。オバマもそうです。ミッシェルは間違いなく男です。だから、公人（こうじん）になるときに、じつは私は男です、といって出ればいいはずなのに。それが彼らへの脅迫材料として利用されていることが問題です。みんなをバカにしている。ほんとに。だからすでに末期症状です。私はもう勝負は100パーセントついたと確信しています。

だから、やっと自分が言ってきたことが正しかったと、世の中に知られることを見届けられるはずなんですよ。

副島　どうもそういう感じがしてきましたね。私の本の読者も少しずつ増えています。だからフルフォードさんともさらに団結して頑張って、日本国を乗っ取るとまでは言わないけど（笑）、正しい人たちが指導する国、世界にする。それぐらいの気概を持ちたいですね。

BF　そう。本物の民主主義と能力主義ね。

副島　×民主主義じゃなく、民主政治（デモクラシー）。代議制民主政体（せいたい）。

BF　政（まつりごと）ね。

根強い男性説が絶えないブリジット・マクロン。ブリジットは噂の発信者を2022年２月に提訴

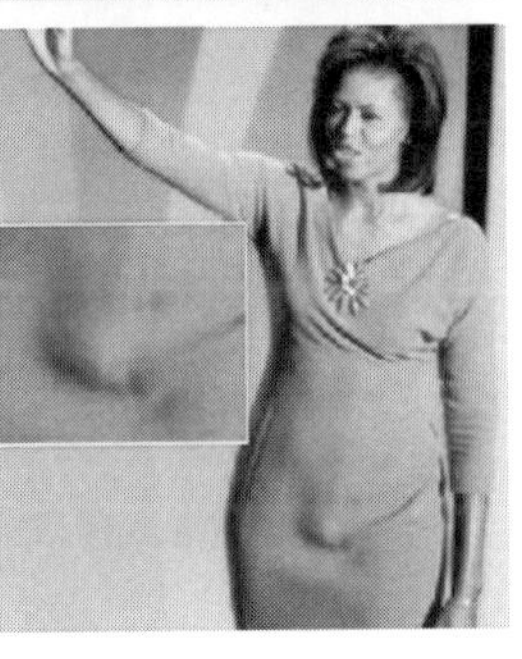

オバマ夫人ミッシェルの男性説も今ではごく普通に有名になった

副島　今回も、フルフォードさんとゆっくり話し合えて、よかった。どうもありがとう。

ＢＦ　私のほうこそ、ありがとうございました。

おわりに　ベンジャミン・フルフォード

2022年を振り返ってみると、世界の旧支配体制＝G7側が、何事においても孤立し、世界各地で大敗北を喫した1年であった。

このことは日本国内のテレビ報道に接しているだけでは実感できないだろうが、明らかに今、世界では、西側欧米に対する強烈な反発が爆発して、革命寸前の状況だと言っていい。

今回、2年振りで、副島隆彦氏と再び対談をさせていただいて、このような現在の世界情勢について、私は世界からの見方を、副島氏は日本からの見方をぶつけ合うことになるのかと最初予想していたが、実際には、私たち2人の世界情勢を見る目に大きな隔たりはなかったと思う。

2人とも、欧米旧支配体制の崩壊が近いこと、とくにアメリカのバイデン政権は不正選挙とインチキCG映像でかろうじて体裁を保っているが、実質はすでに終わっていること、日本は、そんなアメリカからできるだけ早く「独立」すべきであることなど、共有している基本的な考え方は同じであったと思う。

それは、副島氏の考えが〝世界基準〟であるからこそ起こり得た一致であり、その上で、今回もこのような質の高い討論ができたことを、私はとても嬉しく思っている。とくに、私たち人類を、この５０００年に渡って支配してきた悪魔崇拝のカルトの伝統が、一体どのような起源を持ち、いつ、どこで変遷し、最終的に今のような形で君臨するようになっていったのか、古代エジプト王国の時代から、ローマ帝国、中世のハザール王国、そして、近代に入ってからの動きに至るまで歴史的経緯を明らかにすることができたことは、今回の討論の大きな成果であったと思う。日本語で言う「博覧強記（はくらんきょうき）」という言葉がぴったりの副島氏との討論でなければ、なし得なかった成果であった。

副島氏の〝真実言論〟は、間違いなく日本国内で、もはや誰も無視することができない大きな影響力を日本国民に与えている。そして、それは今後、日本国内だけではなく、世界にも影響を与えていくものであると、私は思っている。

副島氏から、今回の対談の最中に情報提供された、安倍晋三殺しの首謀者についての情報を、私が私の５０００万人の読者がいる英語メルマガに書いたところ、リチャード・ハースＣＦＲ会長が直後に辞任したことは、第２章に書いたとおりである。

私は、常々、日本人のソフトパワーは世界を変えられると思っている。私が真実の世界情勢について、この日本という拠点から世界に向けて、自由に発信することができるのは、日

おわりに　　ベンジャミン・フルフォード

本の言語空間が与えてくれる多大な恩恵である。のみならず、私自身が、欧米世界の真実に目を開かれるきっかけをもらったのが、外（ほか）ならぬ日本発のコンスピラシー・セオリスト（封印された真実を発信する人）たちの書籍であった。

いま、私の英文メルマガを読んでいる世界中の５０００万人の読者たちに、日本発の情報がとてつもない影響を与えている。これをもってしても、日本が持つソフトパワーの力がいかに途方もないか、想像できると思う。

そして、日本の対外純資産は４００兆円を超える。日本は31年連続で世界最大の債権国である。その力もうまく使えば、これだけのソフトパワーを持った日本が、悪魔崇拝のカルト勢力に牛耳（ぎゅうじ）られてきたこれまでの世界を大きく変え、新たなアジア的価値観に基づく世界秩序の確立に多大な貢献ができることは間違いない。私も、そのために最大限の努力を今後も惜しまないつもりである。

ペンは剣よりも強し――

私はいつもそう信じている。

２０２２年12月28日

ベンジャミン・フルフォード

■著者プロフィール

副島隆彦（そえじま たかひこ）

評論家。副島国家戦略研究所（SNSI）主宰。1953年、福岡県生まれ。早稲田大学法学部卒業。外資系銀行員、予備校講師、常葉学園大学教授等を歴任。主著に『世界覇権国アメリカを動かす政治家と知識人たち』（講談社＋α文庫）、『決定版 属国 日本論』（PHP研究所）、近著に『習近平独裁は欧米白人（カバール）を本気で打ち倒す』（ビジネス社）、『金融暴落は続く。今こそ金を買いなさい』（祥伝社）、『愛子天皇待望論』（弓立社）他、著書多数。

ベンジャミン・フルフォード（Benjamin Fulford）

1961年カナダ生まれ。ジャーナリスト。上智大学比較文学科を経て、カナダのブリティシュ・コロンビア大学卒業。米経済紙『フォーブス』の元アジア太平洋支局長。主な著書に『日本がアルゼンチン・タンゴを踊る日』『ヤクザ・リセッション』（以上、光文社）、『破滅する世界経済と日本の危機』（かや書房）、『戦時体制に突入した世界経済』（清談社Publico）、『一神教の終わり』（秀和システム）他多数。

世界人類を支配する悪魔の正体

発行日　2023年 1月30日　　第1版第1刷

著　者　副島　隆彦
　　　　ベンジャミン・フルフォード

発行者　斉藤　和邦
発行所　株式会社　秀和システム
〒135-0016
東京都江東区東陽2-4-2　新宮ビル2F
Tel 03-6264-3105（販売）Fax 03-6264-3094
印刷所　日経印刷株式会社　　Printed in Japan

ISBN978-4-7980-6882-4 C0095